CEDU(쎄듀)는 A **C**omprehensive **E**nglish e**DU**cation(종합적 영어교육)의 약자입니다.

저자

김기훈   現 ㈜ 쎄듀 대표이사
現 메가스터디 영어영역 대표강사
前 서울특별시 교육청 외국어 교육정책자문위원회 위원

저서   천일문 / 천일문 Training Book / 초등코치 천일문
천일문 GRAMMAR / 첫단추 BASIC / 쎄듀 본영어
어휘끝 / 어법끝 / 거침없이 Writing / 쓰작 / 리딩 플랫폼
리딩 릴레이 / Grammar Q / Reading Q / Listening Q 등

쎄듀 영어교육연구센터
쎄듀 영어교육센터는 영어 콘텐츠에 대한 전문지식과 경험을 바탕으로
최고의 교육 콘텐츠를 만들고자 최선의 노력을 다하는 전문가 집단입니다.

인지영 책임연구원

원고에 도움을 주신 분 한정은

마케팅   콘텐츠 마케팅 사업본부
영업   문병구
제작   정승호
인디자인 편집   올댓에디팅
디자인   윤혜영
영문교열   Stephen Daniel White

와츠
What's
Grammar⁺Plus

2

왓츠 Grammar Curriculum 시리즈 구성

〈**왓츠 Grammar**〉 시리즈는 학습 단계에 따라 총 6권으로 구성되어 있습니다.
학습자의 인지 수준에 맞게 문법 설명을 세분화하였고, 단계적으로 학습할 수 있도록 설계하였습니다.

Start 1~3권은 초등 영문법을 처음 시작하는 학생들을 위해 개발되었으며,
초등 교과 과정의 필수 기초 문법을 담고 있습니다.
Plus 1~3권은 초등 교과 과정의 필수 기초 문법 및 심화 문법을 담고 있습니다.

Start와 Plus 모두 1권에서 배운 내용이 2권, 3권에도 반복 등장하여 누적 학습이 가능하도록 했습니다.

*하단 표에서 각 권에 새로 등장하는 개념에는 색으로 표시하였습니다.

Start 1-3

☑ 교육부 지정 초등 필수 문법 3~4학년 대상 (영어 교과서 기준)
☑ 초등 영어 문법을 처음 시작할 때

	Start 1		Start 2		Start 3
1	명사	1	명사와 관사	1	대명사
2	대명사	2	대명사와 be동사	2	be동사와 일반동사
3	be동사	3	일반동사	3	현재진행형
4	be동사의 부정문과 의문문	4	의문사 의문문	4	숫자 표현과 비인칭 주어 it
5	지시대명사	5	조동사 can	5	의문사 의문문
6	일반동사	6	현재진행형	6	형용사와 부사
7	일반동사의 부정문과 의문문	7	명령문과 제안문	7	전치사

Plus 1-3

☑ 교육부 지정 초등 필수 문법 5~6학년 대상 (영어 교과서 기준)
☑ 3~4학년 문법 사항 복습 및 초등 필수 영문법 전 과정을 학습하고자 할 때

	Plus1		Plus 2		Plus 3
1	명사와 관사	1	현재진행형	1	품사
2	대명사	2	미래시제	2	시제
3	be동사	3	과거시제	3	조동사
4	일반동사	4	조동사 can, may	4	to부정사와 동명사
5	형용사	5	의문사	5	비교급과 최상급
6	부사	6	여러 가지 문장	6	접속사
7	전치사	7	문장 형식		

❓ 초등 시기, 영문법 학습 왜 중요할까요?

초등, 중등, 고등을 거치면서 배워야 할 문법 사항은 계속 늘어납니다.
같은 문법 사항이더라도 중등, 고등으로 갈수록 개념이 확장되며,
점점 복잡한 문장이나 문맥 속에서 파악해야 하는 문제들이 출제됩니다.

초등에서 배운 문법 사항이 중등, 고등에서도 계속 누적되어 나오기 때문에
이 시기에 기초를 탄탄하게 잘 쌓지 못하면 빈틈이 생기기 쉽습니다.

〈왓츠 Grammar〉는 이러한 빈틈이 절대 생기지 않도록,
초등 교과 과정에서 반드시 배워야 하는 문법 사항을
누적·반복 학습이 가능한 나선형 커리큘럼으로 구성하였습니다.
또한, 갑자기 어려워지는 문제나 많은 문법 사항이 한꺼번에 나오지 않도록 **세심하게 난이도를 조정**하였습니다.

〈왓츠 Grammar〉는 처음 영어 문법을 배우는 아이들에게 자신감을 키워 줄 가장 좋은 선택이 될 것입니다.

🔍 지시대명사의 초등 ▸ 중등 ▸ 고등 차이 살펴보기

초등

What's **this**? 이것은 무엇이니? / **This** is my friend. 얘는 내 친구예요.

> 지시대명사 자체의 의미,
> 문장에서의 쓰임을
> 간결하게 다룹니다.

중등

[내신 기출] 다음 대화의 밑줄 친 부분 중 어법상 틀린 것은?

A: My favorite subject is math.
B: Really? I ① don't like math. It is difficult for me.
A: That ② are(→ is) not a problem. I can help you.
B: Thank you. You ③ get good grades in all subjects. Right?

[풀이] That은 '하나'를 가리키므로 뒤에 be동사 is가 와야 합니다.

> 여러 문법 항목들이
> 뒤섞인 문맥 안에서
> 지시대명사가 주어일 때
> 연결되는 동사까지 함께
> 파악할 수 있어야 합니다.

고등

[내신 기출] 잘못된 부분을 찾아 앞뒤 문맥에 맞게 고쳐 쓰시오.

People were always running up and down the stairs, and the television was left on all day. None of **this**(→ **these**) seemed to bother Kate's parents, they wandered around the house chatting with their kids and greeting their visitors.

[풀이] 여기서 지시대명사는 앞에 나온 내용 전체를 가리키고 있는데, '사람들이 계단을 오르락내리락 하는 것', '텔레비전이 하루 종일 켜져 있는 것' 두 가지를 가리키므로 '여럿'을 가리키는 these로 고쳐야 합니다.

> 지시대명사가
> '사람, 사물'뿐만 아니라
> 문장 전체를 가리킬 수
> 있다는 확장된 문법
> 개념을 알아야 합니다.

Components 구성과 특징

Step 1 문법 개념 파악하기

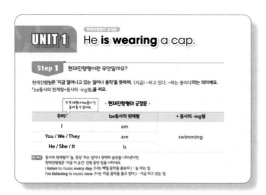

● 한눈에 들어오는 표와 친절하고 자세한 설명을 통해 초등 필수 문법 개념을 쉽게 이해할 수 있어요.

● 문법을 처음 접하는 친구들도 충분히 이해할 수 있도록, 문법 항목을 한 번에 하나씩 공부해요.

Tip! 말풍선과 체크 부분을 놓치지 마세요.
헷갈리기 쉽거나 주의해야 할 내용을 담고 있어요.

Step 2 개념 적용하여 문제 풀기

● 다양한 유형의 문제를 풀면서 문법의 기본 개념을 잘 이해했는지 확인해볼 수 있어요.

● 갑자기 어려운 문제가 등장하지 않도록, 세심하게 난이도를 조정했어요.
차근차근 풀어나가기만 하면 돼요.

Tip! 틀린 문제는 꼭 꼼꼼히 확인하세요.
친절하고 자세한 해설이 도와줄 거예요.

Step 3 문장에 적용 및 쓰기로 완성하기

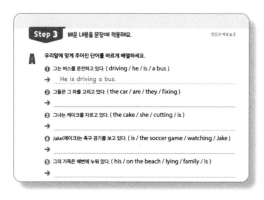

● 배운 문법을 문장에 적용하고 직접 써보세요.
문장 전체를 쓰는 연습을 통해
영어 문장 구조를 자연스럽게 학습할 수 있어요.
문법은 물론 서술형 문제도 이제 어렵지 않아요!

Tip! 어순에 유의하며 써보세요.
주어진 단어를 배열하여 문장을 완성하다보면
영어 문장에 대한 감을 익힐 수 있을 거예요.

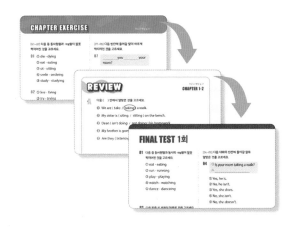

● 챕터별 연습문제 → 두 챕터씩 묶은 누적 REVIEW
→ FINAL TEST 2회분
3단계에 걸친 문제 풀이로 완벽하게 복습해요.

Tip! FINAL TEST 마지막 페이지에 있는 표를 활용해보세요.
틀린 문제가 어느 챕터에 해당하는지 확인하고,
나의 약점을 보완할 수 있어요.

틀린 문제가 어느 챕터에 해당하는지 확인하고, 복습해요.

1	2	3	4	5
Ch1	Ch1	Ch2	Ch1	Ch2
11	12	13	14	15
Ch3	Ch3	Ch4	Ch4	Ch4
21	22	23	24	25

UNIT별 드릴 형식의 추가 문제와 문법을
문장에 적용해보는 Grammar in Sentences로
각 챕터에서 배운 내용을 충분히 복습해 보세요.

UNIT별 초등 필수 영단어를 한 번 더 확인하고,
따라 쓰는 연습을 해보세요. 단어의 철자와 뜻을
자연스럽게 외울 수 있어요.

무료 부가서비스

무료로 제공되는 부가서비스로 완벽히 복습하세요.
www.cedubook.com

① 단어 리스트   ② 단어 테스트

영어 문장의 우리말 뜻과
친절하고 자세한 해설을
수록하여 혼자서도 쉽고
재미있게 공부할 수 있어요.

Contents 차례

책속책 ㅣ **WORKBOOK**
　　　　단어 쓰기 연습지

Study Plan

★ 9주 완성!

주 5일 학습기준이며, 학습 패턴 및 시간에 따라 **Study Plan**을 조정할 수 있어요.

*CH = CHAPTER, U = UNIT

	1일차	2일차	3일차	4일차	5일차
1주차	CH1 U1 Step 1, Step 2	CH1 U1 Step 3, 워크북	CH1 U2 Step 1, Step 2	CH1 U2 Step 3, 워크북	**CH1 Exercise**
2주차	CH2 U1 Step 1, Step 2	CH2 U1 Step 3, 워크북	CH2 U2 Step 1, Step 2	CH2 U2 Step 3, 워크북	**CH2 Exercise** **Review CH1-2**
3주차	CH3 U1 Step 1, Step 2	CH3 U1 Step 3, 워크북	CH3 U2 Step 1, Step 2	CH3 U2 Step 3, 워크북	CH3 U3 Step 1, Step 2
4주차	CH3 U3 Step 3, 워크북	**CH3 Exercise** **Review CH2-3**	CH4 U1 Step 1, Step 2	CH4 U1 Step 3, 워크북	CH4 U2 Step 1, Step 2
5주차	CH4 U2 Step 3, 워크북	**CH4 Exercise** **Review CH3-4**	CH5 U1 Step 1, Step 2	CH5 U1 Step 3, 워크북	CH5 U2 Step 1, Step 2
6주차	CH5 U2 Step 3, 워크북	CH5 U3 Step 1, Step 2	CH5 U3 Step 3, 워크북	**CH5 Exercise** **Review CH4-5**	CH6 U1 Step 1, Step 2
7주차	CH6 U1 Step 3, 워크북	CH6 U2 Step 1, Step 2	CH6 U2 Step 3, 워크북	**CH6 Exercise** **Review CH5-6**	CH7 U1 Step 1, Step 2
8주차	CH7 U1 Step 3, 워크북	CH7 U2 Step 1, Step 2	CH7 U2 Step 3, 워크북	**CH7 Exercise** **Review CH6-7**	
9주차	**FINAL TEST 1회**	**FINAL TEST 2회**			

동사의 시제

'시제'라는 말에서 '시'는 **'시간'**의 '시'와 같은 의미를 가지고 있어요.
우리말에서 '~했다, ~였다, ~하고 있다, ~할 것이다' 등과 같이 말하는 것처럼,
영어에서도 동사의 모양을 바꾸어서 이러한 시간을 나타내요.

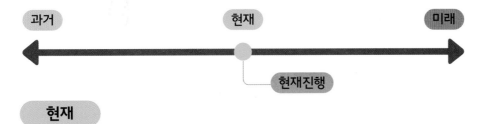

현재

일상적인 습관이나 현재의 상태 등을 나타낼 때 사용해요.

She **is** very busy. 그녀는 매우 바쁘다.
We **like** the movie. 우리는 그 영화를 좋아한다.

현재진행형 ☞ CHAPTER 1

'~하고 있다, ~하는 중이다'라고 지금 '진행 중'인 동작이나 상태에 대해 말할 때 사용해요.
「am/are/is+동사의 -ing형」으로 나타내는데, 동사의 -ing형은 대부분 동사원형 뒤에 -ing를 붙여 만들어요.

My sister **is eating** lunch now. 나의 언니는 지금 점심을 먹고 있다.

미래시제 ☞ CHAPTER 2

앞으로 '~할 것이다'라고 미래의 일을 말하거나 예측할 때 쓰여요.
will과 be going to를 이용해서 표현할 수 있어요. 두 표현 뒤에는 반드시 동사원형이 와요.

Your friends **will help** you. 네 친구들이 너를 도와줄 거야.
I **am going to exercise**. 나는 운동할 것이다.

과거시제 ☞ CHAPTER 3

'~였다', '~했다'라고 이미 지난 일을 나타낼 때 쓰여요. be동사의 과거형은 was/were로 쓰고,
일반동사의 과거형은 주로 동사원형 뒤에 -(e)d를 붙이지만, 불규칙하게 변화하는 동사들이 있으므로
주의해야 해요. (☞ p.112 일반동사 과거형의 불규칙 동사 변화형)

She **was** very busy. 그녀는 매우 바빴다.
We **liked** the movie. 우리는 그 영화를 좋아했다.

현재진행형

학습 목표

UNIT 1 He **is wearing** a cap.

Step 1 현재진행형이란 무엇일까요?

현재진행형은 '지금 일어나고 있는 일이나 동작'을 뜻하며, '(지금) ~하고 있다, ~하는 중이다'라는 의미예요. 「be동사의 현재형+동사의 -ing형」을 써요.

+ 현재진행형의 긍정문 +

> '주격 대명사+be동사'는 줄여 쓸 수 있어요.

주어	be동사의 현재형	+ 동사의 -ing형
I	am	
You / We / They	are	swimming.
He / She / It	is	

✔체크 동사의 현재형이 '늘, 항상' 하는 일이나 현재의 습관을 나타낸다면,
현재진행형은 '지금 이 순간' 진행 중인 일을 나타내요.
I **listen** to music **every day**. (나는 매일 음악을 듣는다.) - 늘 하는 일
I**'m listening** to music **now**. (나는 지금 음악을 듣고 있다.) - 지금 하고 있는 일

+ 동사의 -ing형 만드는 방법 +

대부분의 동사	동사원형 + -ing	go → go**ing** play → play**ing**	eat → eat**ing** sleep → sleep**ing**
-e로 끝나는 동사	e를 없애고 + -ing	come → com**ing** make → mak**ing**	dance → danc**ing** write → writ**ing**
-ie로 끝나는 동사	ie를 y로 바꾸고 + -ing	lie → l**ying**	die → d**ying**
'모음 1개+자음 1개'로 끝나는 동사	마지막 자음 한 번 더 쓰고 + -ing	sit → sit**ting** run → run**ning** swim → swim**ming**	cut → cut**ting** win → win**ning**

✔체크 동사 have가 '가지다'의 뜻일 때는 진행형으로 쓰일 수 없지만, '먹다'라는 뜻일 때는 진행형으로 쓰일 수 있어요.
Rabbits **are having** long ears. (X) Rabbits **have** long ears. (O) (토끼들은 긴 귀를 가지고 있다.)
We **are having** lunch. (O) (우리는 점심을 먹고 있다.)

A 다음 주어진 동사의 -ing형을 빈칸에 쓰세요.

❶ help → helping
돕다

❷ teach →
가르치다

❸ look →
보다

❹ walk →
걷다

❺ jump →
점프하다

❻ hold →
들고 있다

❼ talk →
말하다

❽ read →
읽다

❾ sleep →
자다

❿ call →
부르다; 전화하다

⓫ carry →
들고 있다, 나르다

⓬ eat →
먹다

⓭ move →
움직이다, 옮기다

⓮ take →
가지고 가다

⓯ make →
만들다

⓰ come →
오다

⓱ drive →
운전하다

⓲ bake →
굽다

⓳ use →
사용하다

⓴ write →
쓰다

㉑ hit →
치다, 때리다

㉒ sit →
앉다

㉓ run →
달리다

㉔ swim →
수영하다

㉕ stop →
멈추다

㉖ cut →
자르다

㉗ lie →
눕다; 거짓말하다

㉘ die →
죽다

B 다음 ( ) 안에서 알맞은 것을 고르세요.

❶ She ((is) / are) (read / (reading)) a newspaper.

❷ The bears (is / are) (sleepping / sleeping) now.

❸ Ms. James (is / are) (writeing / writing) an email.

❹ Kate and Jane (is / are) (have / having) lunch.

❺ My brother (is / are) (playing / plays) a computer game.

❻ The dolphins (is / are) (swimming / swiming) in the sea.

❼ Nancy (has / is having) a skateboard.

C 우리말에 맞게 주어진 단어를 이용하여 문장을 완성하세요.

❶ Mr. David _____is wearing_____ a hat. (wear)
데이비드 씨는 모자를 쓰고 있다.

❷ I _____ a piano lesson. (take)
나는 피아노 레슨을 받고 있는 중이다.

❸ Jim _____ a bike in the park. (ride)
짐은 공원에서 자전거를 타고 있다.

❹ The farmers _____ on the farm. (working)
그 농부들은 농장에서 일하는 중이다.

❺ Tony _____ his room. (clean)
토니는 그의 방을 청소하고 있다.

❻ Our dogs _____ on the grass. (run)
우리 개들은 잔디 위에서 달리고 있다.

❼ The man _____ on the bench. (lie)
그 남자는 벤치 위에 누워 있다.

A 우리말에 맞게 주어진 단어를 바르게 배열하세요.

① 그는 버스를 운전하고 있다. (driving / he / is / a bus)

→   He is driving a bus.

② 그들은 그 차를 고치고 있다. (the car / are / they / fixing)

→ _____

③ 그녀는 케이크를 자르고 있다. (the cake / she / cutting / is)

→ _____

④ Jake(제이크)는 축구 경기를 보고 있다. (is / the soccer game / watching / Jake)

→ _____

⑤ 그의 가족은 해변에 누워 있다. (his / on the beach / lying / family / is)

→ _____

B 우리말에 맞게 주어진 단어를 이용하여 문장을 완성하세요.
(필요하면 단어를 추가하거나 형태를 바꾸세요.)

① Billy(빌리)는 그의 친구들을 만나고 있다. (meet, friends)

→   Billy is meeting his friends.

② 그는 설거지를 하고 있다. (wash, the dishes)

→ _____

③ 그 고양이들은 소파 위에 누워 있다. (lie, on the sofa, the cats)

→ _____

④ 그 남자는 벽을 페인트칠하고 있다. (paint, the wall, the man)

→ _____

⑤ 그 학생들은 점심을 먹고 있다. (have, lunch, the students)

→ _____

UNIT 2 **Is** she **playing** tennis**?**

Step 1 '~하고 있지 않다'와 '~하고 있니?'는 어떻게 나타내는지 알아볼까요?

현재진행형의 부정문과 의문문 모두 be동사의 부정문과 의문문을 만드는 방법과 같아요.
'~하고 있지 않다'라는 뜻의 부정문은 be동사 바로 뒤에 not을 쓰면 돼요.
'~하고 있니?'라는 뜻의 의문문은 주어와 be동사의 자리만 바꾸어
「be동사의 현재형+주어+동사의 -ing형 ~?」으로 나타내요.

+ **현재진행형의 부정문** +

am/are/is + not + 동사의 -ing형 ~하고 있지 않다	I **am not** sleeping. 나는 자고 있지 않다. = I'**m not** sleeping. They **are not** cooking. 그들은 요리하고 있지 않다. = They **aren't** cooking. / They'**re not** cooking. She **is not** reading a book. 그녀는 책을 읽고 있지 않다. = She **isn't** reading a book. / She'**s not** reading a book.

✔체크 '주격 대명사+be동사'와 'be동사+not'은 줄여 쓸 수 있어요.
이때 is not은 **isn't**로, are not은 **aren't**로 줄여 쓸 수 있지만,
am not은 줄여 쓸 수 없어서 **I'm not**으로만 쓰는 것에 주의하세요.

+ **현재진행형의 의문문** +

Am/Are/Is + 주어 + 동사의 -ing형 ~? ~하고 있니?	Yes, 주어 + be동사. 응, 그래.	No, 주어 + be동사 + not. 아니, 그렇지 않아.
Are you(너) **dancing?**	Yes, I **am**.	No, I'**m** not.
Is he/she/it dancing?	Yes, he/she/it **is**.	No, he/she/it **isn't**.
Are you(너희들) **dancing?**	Yes, we **are**.	No, we **aren't**.
Are they dancing?	Yes, they **are**.	No, they **aren't**.

✔체크 긍정의 대답일 때는 '주어+be동사'를 줄여 쓰지 않지만, 부정의 대답일 때는 'be동사+not'을 줄여 써요.

✔체크 주어가 명사인 질문에 대답할 때는 주어를 알맞은 대명사로 바꿔 대답해야 해요.
Q: Is **your cat** sleeping now**?** (네 고양이는 지금 자고 있니?)
A: No, **it** isn't. (아니, 그렇지 않아.)

A 다음 문장에서 not이 들어갈 알맞은 위치를 고르세요.

① I ☐ am ☑ using ☐ the computer.

② They ☐ are ☐ playing ☐ with a ball.

③ The man ☐ is ☐ working ☐ in the garden.

④ The boys ☐ are ☐ listening ☐ to their teacher.

⑤ Brian ☐ and ☐ Jack ☐ are ☐ singing.

B 우리말에 맞게 다음 (   ) 안에서 알맞은 것을 고르세요.

① The bus (isn't moving / isn't move).
그 버스는 움직이지 않고 있다.

② (Is / Are) the frogs (jump / jumping)?
개구리들이 점프하고 있니?

③ (I'm not / I amn't) carrying my camera.
나는 내 카메라를 들고 있지 않다.

④ (Does / Is) Danny (buys / buying) new clothes?
대니는 새 옷을 사고 있니?

⑤ He (is not / not is) (cooking / cooks) in the kitchen.
그는 부엌에서 요리하고 있지 않다.

⑥ (Do / Are) you (look / looking) at your pictures?
너는 네 사진들을 보고 있니?

⑦ (Is / Are) your friends (play / playing) basketball?
네 친구들은 농구를 하고 있니?

⑧ (Is / Are) the hippos (swiming / swimming) in the lake?
하마들이 호수에서 수영하고 있니?

C 우리말에 맞게 주어진 단어를 이용하여 문장을 완성하세요.

❶ They ____are____ ____not____ ____studying____ math. (study)

그들은 수학을 공부하고 있지 않다.

❷ My dad _____ _____ _____ on the sofa. (sit)

나의 아빠는 소파 위에 앉아 계시지 않다.

❸ Amy and I _____ _____ _____ home. (go)

에이미와 나는 집에 가고 있지 않다.

❹ Q _____ Kate _____ now? (sleep)

케이트는 지금 자고 있니?

A No, _____ _____ .

아니, 그렇지 않아.

❺ Q _____ the rabbits _____ carrots? (eat)

그 토끼들은 당근을 먹고 있니?

A Yes, _____ _____ .

응, 그래.

D 다음 밑줄 친 부분을 바르게 고쳐 쓰세요.

❶ <u>Does</u> your friend waiting? ➔ ____Is____

❷ He is not <u>lieing</u> on the sofa. ➔ _____

❸ Are <u>making you</u> a sandwich? ➔ _____

❹ They are not <u>go</u> to the zoo. ➔ _____

❺ <u>Are</u> the boy carrying a box? ➔ _____

❻ We are not <u>clean</u> our classroom. ➔ _____

❼ <u>Am</u> Kate writing a letter? ➔ _____

❽ The woman <u>aren't</u> wearing glasses. ➔ _____

A 우리말에 맞게 주어진 단어를 바르게 배열하세요.

❶ Henry(헨리)는 그의 머리를 말리고 있니? (his / is / Henry / drying / hair)

→   Is Henry drying his hair?

❷ 그는 빨래를 하고 있지 않다. (is / the laundry / he / doing / not)

→ _____

❸ 밖에 눈이 내리고 있니? (it / snowing / is)

→ _____ outside?

❹ 그들은 시장에 가고 있니? (going / they / to the market / are)

→ _____

❺ 나는 집에 머물고 있지 않다. (not / at home / am / staying / I)

→ _____

B 우리말에 맞게 주어진 단어를 이용하여 문장을 완성하세요.
(필요하면 단어를 추가하거나 형태를 바꾸세요.)

❶ 그녀는 자전거를 타고 있지 않다. (ride, a bike)

→   She isn't riding a bike.

❷ Sena(세나)는 그녀의 손을 닦고 있니? (wash, hands)

→ _____

❸ 그 남자들은 나무를 자르고 있지 않다. (cut, the men, trees)

→ _____

❹ 그 고양이들은 잔디 위에 누워 있니? (lie, on the grass, the cats)

→ _____

❺ 그는 저녁식사를 하고 있지 않다. (have, dinner)

→ _____

[01~02] 다음 중 동사원형과 -ing형이 <u>잘못</u> 짝지어진 것을 고르세요.

01 ① die - dying

② eat - eating

③ sit - sitting

④ smile - smileing

⑤ study - studying

02 ① live - living

② try - trying

③ cook - cooking

④ meet - meeting

⑤ win - wining

[03~06] 다음 ( ) 안에서 알맞은 것을 고르세요.

03 They are (have / having) lunch.

04 His dad (isn't / aren't) painting the wall.

05 Mason and I are (listenning / listening) to music.

06 (Do / Are) the cats walking on the street?

[07~08] 다음 빈칸에 들어갈 말이 바르게 짝지어진 것을 고르세요.

07

_____ you _____ your room?

① Are - clean

② Do - cleans

③ Is - cleaning

④ Are - cleaning

⑤ Does - clean

08

· My mom is _____ her car.

· Are you _____ an email?

① drive - write

② drive - writing

③ driving - write

④ driving - writing

⑤ drives - writes

09 다음 빈칸에 공통으로 들어갈 말로 알맞은 것을 고르세요.

· Joe _____ working now.

· My sister _____ baking bread.

① amn't ② isn't

③ aren't ④ don't

⑤ doesn't

[10~11] 다음 질문에 대한 대답으로 알맞은 것을 고르세요.

10
> **Q** Is your brother studying?
> **A** _____

① Yes, she is.

② Yes, he is.

③ No, he is.

④ Yes, he does.

⑤ No, he doesn't.

11
> **Q** Are the students going to the library?
> **A** _____

① Yes, he is.

② No, he isn't.

③ Yes, they aren't.

④ No, they aren't.

⑤ No, they don't.

12 다음 중 올바른 문장을 고르세요.

① He is sleeping.

② We is not dancing.

③ They are draw pictures.

④ Are they using the crayons?

⑤ I not am doing my homework.

[13~16] 다음 문장을 현재진행형 문장으로 바꿀 때, 빈칸에 알맞은 말을 쓰세요.

13 They fix the house.
그들은 그 집을 수리한다.

→ They _____ the house.

14 The dogs run on the grass.
그 개들은 잔디 위에서 달린다.

→ The dogs _____ on the grass.

15 Alex lies on the beach.
알렉스는 해변에 눕는다.

→ Alex _____ on the beach.

16 The monkeys climb the trees.
그 원숭이들은 나무에 오른다.

→ The monkeys _____ the trees.

17 다음 밑줄 친 부분이 잘못된 것을 고르세요.

① The baby is crying.

② He is opening the door.

③ I'm not watching TV.

④ Are you playing soccer?

⑤ She is having a car.

[18~20] 다음 문장을 괄호 안의 지시대로 바꿔 쓰세요.

18 They are moving the table.

→ (의문문) _____

_____

19 Kelly is going to the library.

→ (부정문) _____

_____

20 Her grandma is working in the garden.

→ (의문문) _____

_____

21 다음 중 짝지어진 대화가 <u>어색한</u> 것을 고르세요.

① **Q** Are you having lunch?
A Yes, I am.

② **Q** Is your dog sleeping?
A No, they aren't.

③ **Q** Is Sam riding a bike?
A No, he isn't.

④ **Q** Are they going to school?
A Yes, they are.

⑤ **Q** Is your sister playing the piano?
A No, she isn't.

[22~25] 우리말에 맞게 밑줄 친 부분을 바르게 고쳐 쓰세요.

22 I <u>amn't</u> eating pizza now.
나는 지금 피자를 먹고 있지 않다.

→ _____

23 My parents <u>is drinking</u> coffee.
나의 부모님은 커피를 마시고 계신다.

→ _____

24 Is your brother <u>play</u> the drums?
네 형은 드럼을 연주하고 있니?

→ _____

25 We are <u>takeing</u> pictures now.
우리는 지금 사진을 찍고 있다.

→ _____

미래시제

학습 목표

UNIT 1 **will**

will을 이용하여 미래를 나타내는 문장을 만들 수 있어요.

I **will do** my homework.

UNIT 2 **be going to**

be going to를 이용하여 미래를 나타내는 문장을 만들 수 있어요.

He **is going to be** late.

UNIT 1
I **will do** my homework.

Step 1 미래의 일은 어떻게 나타낼까요?

미래시제는 '앞으로 일어날 일이나 계획'을 나타낼 때 쓰이며, '(미래에) ~할 것이다, ~일 것이다'라는 의미예요.
「will+동사원형」으로 나타낼 수 있는데, 이때 will은 주어에 상관없이 항상 will이에요.
will 뒤에는 항상 동사원형이 오는 것에 주의하세요.

✛ will의 긍정문 ✛

will + 동사원형 ~할 것이다, ~일 것이다	I will **go** to bed early tonight. 나는 오늘밤 일찍 잘 것이다. She'll **buy** new shoes. 그녀는 새 신발을 살 것이다. It will **be** cold tomorrow. 내일 추워질 것이다.

✔ 체크 will은 조동사이므로 주어에 상관없이 항상 will로 써요.

> 뜻이 없는 주어인 비인칭 주어 It은 '날씨, 날짜, 시간 등'을 나타낼 때 쓰여요. (☞ Start ❸)

✔ 체크 대명사 주어와 will을 줄여 쓸 수 있어요.
I'll / You'll / We'll / He'll / She'll / It'll / They'll

✔ 체크 미래를 나타내는 문장에서 자주 쓰이는 시간 표현
tomorrow(내일), **soon**(곧), **tonight**(오늘 밤), **next** week(다음 주), **next** month(다음 달), **next** year(내년) 등

✛ will의 부정문 ✛

will not + 동사원형 ~하지 않을 것이다	I will not(= won't) **exercise** tomorrow. 나는 내일 운동하지 않을 것이다. He **won't be** late. 그는 늦지 않을 것이다.

> will not은 won't로 줄여 쓸 수 있어요.

✛ will의 Yes/No 의문문 ✛

Will + 주어 + 동사원형 ~? ~할 거니?	Yes, 주어 + will. 응, 그럴 거야.	No, 주어 + won't. 아니, 그러지 않을 거야.
Will you invite Stacy? 너는 스테이시를 초대할 거니?	Yes, I will.	No, I won't.
Will she walk to school? 그녀는 학교에 걸어갈 거니?	Yes, she will.	No, she won't.

✔ 체크 의문문의 주어가 명사이면 대답의 주어는 알맞은 대명사로 바꿔야 해요.
Q: Will **Paul** be a cook? (폴은 요리사가 될 거니?)
A: Yes, **he** will. (응, 그럴 거야.)

A 다음 ( ) 안에서 알맞은 것을 고르세요.

1 It (will / is) snow tomorrow.
내일은 눈이 올 것이다.

2 My sister (will / wills) watch TV tonight.
나의 언니는 오늘밤에 TV를 볼 것이다.

3 Jason will (visit / visits) his grandma soon.
제이슨은 곧 그의 할머니를 방문할 것이다.

4 We will (play / playing) baseball next week.
우리는 다음 주에 야구를 할 것이다.

5 I'll (am / be) a middle school student next year.
나는 내년에 중학생이 될 것이다.

6 John (will not learn / will learn not) Japanese.
존은 일본어를 배우지 않을 것이다.

7 They (won't / willn't) be late for school.
그들은 학교에 지각하지 않을 것이다.

8 Will she (spend / spends) her vacation in Busan?
그녀는 부산에서 방학을 보낼 거니?

B 다음 질문을 보고, 빈칸에 알맞은 대답을 쓰세요.

1 **Q** Will you wear that coat tomorrow?
너는 내일 저 코트를 입을 거니?

A Yes, ____I____ ____will____ .
응, 그럴 거야.

2 **Q** Will Kevin go camping this weekend?
케빈은 이번 주말에 캠핑하러 갈 거니?

A Yes, _____ _____ .
응, 그럴 거야.

3 **Q** Will your sister have a party?
네 언니는 파티를 열 거니?

A No, _____ _____ .
아니, 그러지 않을 거야.

C 우리말에 맞게 will과 주어진 단어를 이용하여 문장을 완성하세요.

❶ I _____won't call_____ her. (call)

나는 그녀에게 전화하지 않을 것이다.

❷ Nancy _____ the test. (pass)

낸시는 그 시험에 통과할 것이다.

❸ We _____ 12 years old next year. (be)

우리는 내년에 열두 살이 될 것이다.

❹ It _____ next week. (rain)

다음 주에는 비가 내리지 않을 것이다.

❺ _____ Judy _____ to your party? (come)

주디는 네 파티에 올 거니?

❻ They _____ in France next week. (be)

그들은 다음 주에 프랑스에 있을 것이다.

❼ _____ your uncle _____ that car? (drive)

네 삼촌이 저 차를 운전하실 거니?

D 다음 밑줄 친 부분을 바르게 고쳐 쓰세요.

❶ It <u>wills be</u> cold at night. ➔ _____will be_____

❷ Noah <u>willn't</u> tell lies. ➔ _____

❸ <u>I'will</u> meet him next Saturday. ➔ _____

❹ <u>Wills the kids</u> make a sandcastle? ➔ _____

❺ The concert <u>will starts</u> next month. ➔ _____

❻ Mom <u>won't is</u> busy next month. ➔ _____

A 다음 문장을 괄호 안의 지시대로 바꿔 쓰세요.

① Our team won't win the game.

➔ (긍정문) Our team will win the game.

② It will snow tonight.

➔ (의문문)

③ My friend will like this gift.

➔ (부정문)

④ Julian will wash his car.

➔ (의문문)

⑤ My family won't make a Christmas tree.

➔ (긍정문)

B 우리말에 맞게 will과 주어진 단어를 이용하여 문장을 완성하세요.
(필요하면 단어를 추가하세요.)

① 나의 삼촌이 컴퓨터를 고치실 것이다. (uncle, the computer, fix)

➔ My uncle will fix the computer.

② Danny(대니)는 목요일에 테니스를 치지 않을 것이다. (play, tennis)

➔ _____ on Thursday.

③ 너는 도서관에서 네 친구를 만날 거니? (friend, meet)

➔ _____ at the library?

④ 내일은 날씨가 흐리지 않을 것이다. (it, cloudy, be)

➔ _____ tomorrow.

⑤ 그들은 그 축구 경기를 볼 거니? (the soccer game, watch)

➔ _____

UNIT 2   He **is going to be** late.

Step 1   미래의 일을 나타내는 또 다른 표현에 대해 알아볼까요?

be going to도 will과 같이 미래의 일을 말할 때 쓸 수 있어요.
특히, '미리 계획되어 있는 일'을 말할 때 사용하며, '~할 것이다, ~할 예정이다'라고 해석해요.
be going to 뒤에는 항상 동사원형이 오는 것에 주의하세요.

+ be going to의 긍정문 +

am/are/is + going to + 동사원형 ~할 것이다, ~할 예정이다	I'm going to **do** my homework. 나는 숙제를 할 것이다. Mike and I **are going to meet** at 3. 마이크와 나는 3시에 만날 예정이다. She's **going to play** tennis. 그녀는 테니스를 칠 것이다.

> be동사는 주어의 인칭과 수에 맞게 써야 해요.

✔체크   be going to 뒤에는 항상 동사원형을 써야 해요.

✔체크   '주격 대명사+be동사'는 **I'm/You're/We're/He's/She's/It's/They're** going to와 같이 줄여 쓸 수 있어요.

+ be going to의 부정문 +

am/are/is + not + going to + 동사원형 ~하지 않을 것이다	I'm **not going to eat** fast food. 나는 패스트푸드를 먹지 않을 것이다. It **is not going to rain** tomorrow. 내일은 비가 오지 않을 것이다.

> is not, are not은 isn't, aren't로 줄여 쓸 수 있어요.

+ be going to의 Yes/No 의문문 +

Am/Are/Is + 주어 + going to + 동사원형 ~? ~할 거니?	Yes, 주어 + be동사. 응, 그럴 거야.	No, 주어 + be동사 + not. 아니, 그러지 않을 거야.
Are you **going to ride** a bike? 너는 자전거를 탈 거니?	Yes, I am.	No, I'm not.
Is she **going to come** here? 그녀는 여기에 올 거니?	Yes, she is.	No, she isn't.

✔체크   의문사가 있는 be going to의 의문문은 문장 맨 앞에 의문사만 더하면 돼요. (☞ CHAPTER 5)
       What are you going to do this weekend? (너는 이번 주말에 무엇을 할 거니?)

A 다음 (   ) 안에서 알맞은 것을 고르세요.

❶ James (will / (is)) going to call me.
제임스는 내게 전화할 것이다.

❷ She's going to (watch / watches) TV.
그녀는 TV를 볼 것이다.

❸ Frank (is / are) going to buy the shirt.
프랭크는 그 셔츠를 살 것이다.

❹ The game (will / is going) to be fun.
그 게임은 재미있을 것이다.

❺ He (isn't going / won't going) to go shopping.
그는 쇼핑하러 가지 않을 것이다.

❻ My sister and I (am / are) going to visit our cousins.
나의 언니와 나는 우리 사촌들을 방문할 것이다.

❼ (Are / Do) they going to order a pizza?
그들은 피자를 주문할 거니?

❽ Molly is going (be / to be) a designer.
몰리는 디자이너가 될 것이다.

B 다음 질문에 알맞은 대답을 고르세요.

❶ Q Are you going to go to bed early?
A ☑ No, I'm not.　　☐ No, I won't.

❷ Q Is Peter going to cook dinner?
A ☐ Yes, he is.　　☐ Yes, he will.

❸ Q Is your sister going to join the game?
A ☐ No, they aren't.　　☐ No, she isn't.

C 우리말에 맞게 be going to와 주어진 단어를 이용하여 문장을 완성하세요.

❶ Dave(데이브)는 바쁘지 않을 것이다. (be)

→ Dave _____ isn't going to be _____ busy.

❷ Tom(톰)은 그의 친구를 도울 것이다. (help)

→ Tom _____ his friend.

❸ Jake(제이크)와 나는 설거지를 할 것이다. (wash)

→ Jake and I _____ the dishes.

❹ 나는 오늘 내 친구를 만날 것이다. (meet)

→ I _____ my friend today.

❺ 그들은 이곳에 병원을 지을 거니? (build)

→ _____ they _____ a hospital here?

❻ 우리는 도서관에 가지 않을 것이다. (go)

→ We _____ to the library.

D 다음 밑줄 친 부분을 바르게 고쳐 쓰세요.

❶ Are they going to <u>played</u> tennis? → _____ play _____

❷ It's going <u>be</u> sunny tomorrow. → _____

❸ I <u>amn't</u> going to swim in the sea. → _____

❹ <u>Is</u> you going to do the laundry? → _____

❺ The train <u>won't</u> going to arrive at 10. → _____

❻ Is Amy going to <u>washes</u> her dog? → _____

❼ Larry is <u>going not</u> to come home early. → _____

❽ <u>Do</u> your grandma going to buy a new car? → _____

A 다음 문장을 괄호 안의 지시대로 바꿔 쓰세요. (부정문은 줄임말로 쓰세요.)

❶ She is going to take a taxi.

→ (부정문)　She isn't going to take a taxi.

❷ Elly is going to visit Korea.

→ (의문문) _____

❸ We are going to learn guitar.

→ (부정문) _____

❹ They are going to be 10 years old next year.

→ (의문문) _____ next year?

❺ I'm not going to get up early tomorrow.

→ (긍정문) _____ early tomorrow.

B 우리말에 맞게 be going to와 주어진 단어를 이용하여 문장을 완성하세요.
(필요하면 단어를 추가하세요.)

❶ 그녀는 일기를 쓸 거니? (keep, a diary)

→　Is she going to keep a diary?

❷ 나는 쿠키를 좀 먹을 것이다. (eat, some cookies)

→ _____

❸ 그는 오늘 그의 집을 청소하지 않을 것이다. (clean, house)

→ _____ today.

❹ 너희는 텐트에서 잘 거니? (sleep, in a tent)

→ _____

❺ Mark(마크)와 나는 토마토를 심을 것이다. (and, plant, tomatoes)

→ _____

01 다음 중 미래를 나타내는 문장 <u>두 개</u>를 고르세요.

① The store is open today.

② I'm doing my homework.

③ She is going to work in Seoul.

④ He has breakfast every day.

⑤ We'll go to the gym tomorrow.

[02~03] 다음 빈칸에 들어갈 말로 알맞은 것을 고르세요.

02

Cindy _____ go to the concert tomorrow.

① is   ② isn't

③ aren't   ④ won't

⑤ doesn't

03

Jack _____ to paint the house next week.

① is   ② does

③ will   ④ going

⑤ is going

[04~05] 다음 문장에서 not이 들어갈 위치로 알맞은 것을 고르세요.

04 I ① will ② go ③ to ④ see a dentist ⑤ tomorrow.

05 Sarah ① is ② going ③ to ④ buy ⑤ a new laptop.

[06~08] 다음 (   ) 안에서 알맞은 것을 고르세요.

06 Kelly (willn't / won't) take a bus.

켈리는 버스를 타지 않을 것이다.

07 She'll (is / be) tired after school.

그녀는 방과 후에 피곤할 것이다.

08 They're (going not / not going) to stay at a hotel.

그들은 호텔에 머물지 않을 것이다.

09 다음 밑줄 친 부분이 <u>잘못된</u> 것을 고르세요.

① Will you <u>bake</u> a pie?

② I <u>won't</u> exercise tonight.

③ Is he going to <u>buys</u> jeans?

④ It's going to <u>be</u> dark soon.

⑤ The boys will <u>jump</u> on the sofa.

[10~13] 우리말에 맞게 주어진 단어를 이용하여 문장을 완성하세요.

10 크리스마스 날에 눈이 올까? (snow)

→ _____ it _____ on Christmas Day?

11 우리는 스케이트를 탈 것이다. (skate)

→ We are going _____ _____ .

12 그들은 스파게티를 먹지 않을 것이다. (eat)

→ They _____ _____ spaghetti.

13 너희들은 눈사람을 만들거니? (make)

→ _____ you _____ _____ a snowman?

[14~15] 다음 대화의 빈칸에 알맞은 말을 쓰세요.

14 Q _____ they going to go fishing?

A No, they _____ . They're going to go hiking.

15 Q _____ you take a walk?

A No, I _____ . I'll stay at home.

[16~18] 다음 밑줄 친 부분을 바르게 고쳐 쓰세요.

16 <u>Does</u> it going to rain?

비가 올까?

→ _____

17 He'll <u>builds</u> a new dog house.

그는 새로운 개집을 만들 것이다.

→ _____

18 The bus isn't <u>go</u> to leave soon.

그 버스는 곧 출발하지 않을 것이다.

→ _____

19 다음 중 올바른 문장을 고르세요.

① He will invites us.

② They won't to be quiet.

③ Sam is going wash his car.

④ I'll cleaning the house tomorrow.

⑤ We'll go to the museum next weekend.

20 우리말에 맞게 주어진 단어를 이용하여 문장을 완성하세요.

그 학생들은 다음 주에 제주에 갈 것이다.

(go, the students, be, to Jeju)

→ _____

_____ next week.

A 다음 ( ) 안에서 알맞은 것을 고르세요.

❶ We are (take / (taking)) a walk.

❷ My sister is (siting / sitting) on the bench.

❸ Dean (isn't doing / not doing) his homework.

❹ My brother is going (watching / to watch) TV.

❺ Are they (listening / listen) to music now?

B 우리말에 맞게 보기의 단어를 이용하여 문장을 완성하세요.
(필요하면 단어의 형태를 바꾸세요.)

보기	is	are	will	going
	to	eat	run	come

❶ We ____are____ ____eating____ breakfast now. 우리는 지금 아침을 먹고 있다.

❷ My brother _____ _____ breakfast tomorrow.

나의 형은 내일 아침을 먹지 않을 것이다.

❸ _____ he _____ home now? 그는 지금 집에 오고 있니?

❹ _____ you _____ _____ _____ to

his party? 너는 그의 파티에 올 거니?

❺ Ted and I _____ _____ at the park.

테드와 나는 공원에서 달리고 있다.

❻ Ted _____ _____ _____ _____

tomorrow. 테드는 내일은 달리지 않을 것이다.

CHAPTER 3

과거시제

학습 목표

be동사의 과거형

I **was** very tired.

Step 1   be동사의 과거형은 어떻게 나타내는지 알아볼까요?

'과거의 일이나 상태'를 말할 때 be동사의 과거형으로 나타내요.
be동사의 과거형은 was와 were를 쓰고, '~이었다, (어떠)했다, ~(에) 있었다'라고 해석해요.
am과 is는 was로 **바꾸고**, are는 were로 **바꿔서** 과거를 나타내요.

+ be동사의 과거형 +

> 주격 대명사와 be동사의 과거형은 줄여 쓸 수 없어요.

I / He / She / It 또는 단수 명사 주어	was	I was born in 2013. 나는 2013년에 태어났다. He was in the classroom. 그는 교실에 있었다.
You / We / They 또는 복수 명사 주어	were	They were 10 years old last year. 그들은 작년에 10살이었다.

✓체크 다음과 같이 과거를 나타내는 시간 표현이 쓰이면 과거형으로 써요.
yesterday(어제), **last** night(어젯밤), **last** year(작년에), a week **ago**(일주일 전에), **then**(그때) 등
She **is** busy **yesterday**. (X) She **was** busy **yesterday**. (O) (그녀는 어제 바빴다.)

+ be동사 과거형의 부정문 +

주어 + was not(= wasn't)	The pizza was not delicious. 그 피자는 맛있지 않았다.
주어 + were not(= weren't)	Dan and I were not at home. 댄과 나는 집에 없었다.

+ be동사 과거형의 Yes/No 의문문 +

Was + 주어 ~?	Q Was **he** a pianist? 그는 피아니스트였니? A Yes, he **was**. 응, 그랬어. / No, he **wasn't**. 아니, 그렇지 않았어.
Were + 주어 ~?	Q Were **you** at school? 너는 학교에 있었니? A Yes, I **was**. 응, 그랬어. / No, I **wasn't**. 아니, 그렇지 않았어. Q Were **they** angry? 그들은 화가 났었니? A Yes, they **were**. 응, 그랬어. / No, they **weren't**. 아니, 그렇지 않았어.

✓체크 의문문의 주어가 명사이면 대답의 주어는 알맞은 대명사로 바꿔야 해요.
Q: Was **your sister** late? (네 언니는 늦었니?)
A: No, **she** wasn't. (아니, 그렇지 않았어.)

A 다음 문장에서 be동사에 동그라미하고, 과거를 나타내는 문장에 체크하세요.

❶ The man (was) an actor. ☑

❷ Tina is at home. ☐

❸ They were my neighbors. ☐

❹ Mr. Smith is in Busan now. ☐

❺ It was cold yesterday. ☐

❻ We were tired yesterday. ☐

❼ Emily and her sister are smart. ☐

B 다음 ( ) 안에서 알맞은 것을 고르세요.

❶ They (was / (were)) in the library. 그들은 도서관에 있었다.

❷ The trip (was / were) great. 그 여행은 아주 좋았다.

❸ The rooms (was / were) clean. 그 방들은 깨끗했다.

❹ The test (was / were) easy. 그 시험은 쉬웠다.

❺ She (was / were) in the office. 그녀는 사무실에 있었다.

❻ Kelly and I (was / were) hungry. 켈리와 나는 배가 고팠다.

❼ Mr. Jones (was / were) my teacher. 존스 씨는 나의 선생님이셨다.

❽ Harry (was / were) a baseball player. 해리는 야구 선수였다.

❾ The children (was / were) at the beach. 그 아이들은 해변에 있었다.

C 다음 보기에서 빈칸에 들어갈 알맞은 말을 골라 쓰세요.

| 보기 | was | were | not | wasn't | weren't |

❶ The movie ___was___ ___not___ scary. 그 영화는 무섭지 않았다.

❷ They _____ _____ my classmates. 그들은 내 반 친구들이 아니었다.

❸ My sister _____ _____ in France. 내 여동생은 프랑스에 있지 않았다.

❹ Q _____ the chairs theirs? 그 의자들은 그들의 것이었니?

  A No, they _____. 아니, 그렇지 않았어.

❺ Q _____ you at school yesterday? 너는 어제 학교에 있었니?

  A Yes, I _____. 응, 그랬어.

❻ Q _____ James born in New Zealand? 제임스는 뉴질랜드에서 태어났니?

  A Yes, he _____. 응, 그랬어.

D 다음 문장을 괄호 안의 지시대로 바꿔 쓰세요.

❶ Were the kids noisy? 그 아이들은 시끄러웠니?

→ (긍정문) ___The kids were noisy.___

❷ The concert was great. 그 콘서트는 아주 좋았다.

→ (의문문) _____

❸ Jake and I were at the park. 제이크와 나는 공원에 있었다.

→ (부정문) _____

❹ John wasn't a police officer. 존은 경찰관이 아니었다.

→ (긍정문) _____

A 우리말에 맞게 주어진 단어를 배열하세요.

① 그 티셔츠는 비쌌니? (expensive / the T-shirt / was)

→ _Was the T-shirt expensive?_

② 그 화장실은 깨끗하지 않았다. (not / the bathroom / clean / was)

→ _____

③ 그들은 유명한 마술사들이었다. (magicians / were / famous / they)

→ _____

④ Mark(마크)는 버스 정류장에 있었다. (was / at / Mark / the bus stop)

→ _____

⑤ 그 남자아이들은 운동장에 없었다. (at / were / the boys / not / the playground)

→ _____

B 우리말에 맞게 주어진 단어를 이용하여 문장을 완성하세요.
(필요하면 단어를 추가하거나 형태를 바꾸세요.)

① 그 상자는 정말 무거웠다. (be, heavy, the box, really)

→ _The box was really heavy._

② 그들은 도서관에 있었니? (be, the library, in)

→ _____

③ 그것은 내 잘못이 아니었다. (be, not, fault)

→ _____

④ Logan(로건)과 나는 학교에 지각했다. (be, late, and, for school)

→ _____

⑤ 그녀는 너의 영어 선생님이었니? (be, English teacher)

→ _____

UNIT 2

He **played** the piano.

Step 1 일반동사의 과거형은 어떻게 나타내는지 알아볼까요?

일반동사의 과거형은 '~했다'라는 뜻으로 '과거의 행동이나 상태'를 나타내요.
대부분 동사원형에 -(e)d를 붙여서 만들지만, 이러한 규칙에 해당하지 않는 불규칙 동사들도 있어요.
일반동사의 과거형은 주어에 상관없이 항상 같은 형태로 쓰여요.

+ 일반동사의 과거형 (규칙) +

대부분의 동사	+ -ed	watched played	talked started	walked laughed
-e로 끝나는 동사	+ -d	liked lived	arrived moved	closed smiled
'자음+y'로 끝나는 동사	y를 i로 고치고 + -ed	study → studied cry → cried		worry → worried try → tried
'모음 1개+자음 1개' 로 끝나는 동사	마지막 자음 한 번 더 쓰고 + -ed	stopped hugged	planned dropped	

☑ 체크 '모음+y'로 끝나는 동사의 과거형은 뒤에 -ed를 붙여요.
played, enjoyed, stayed 등

+ 일반동사의 과거형 (불규칙) +

불규칙하게 변하는 동사	buy → **bought** come → **came** do → **did** drive → **drove** eat → **ate** get → **got** give → **gave**	go → **went** have → **had** make → **made** meet → **met** ride → **rode** run → **ran** see → **saw**	sit → **sat** sleep → **slept** stand → **stood** take → **took** wake → **woke** write → **wrote**
현재형과 과거형이 같은 동사	put → **put**	cut → **cut**	read → **read**

☑ 체크 ☞ 불규칙 동사 변화표 p.112
문제를 풀기 전에 꼭 외워 두세요.

> read의 현재형은 [ri:d(리드)]로 발음하고,
> 과거형은 [red(레드)]로 발음해요.

Step 2 문제를 풀며 이해해요.

A 다음 (   ) 안에서 알맞은 것을 고르세요.

① I (cryed / (cried)) last night.　　　　　　나는 어젯밤에 울었다.

② He (learned / learnd) English.　　　　　그는 영어를 배웠다.

③ Jamie (getted / got) up late.　　　　　제이미는 늦게 일어났다.

④ It (rains / rained) last week.　　　　　지난주에는 비가 왔다.

⑤ We (arrivd / arrived) in Japan.　　　　우리는 일본에 도착했다.

⑥ The man (read / readed) a novel.　　　그 남자는 소설을 읽었다.

⑦ The police (stoped / stopped) the car.　경찰은 그 차를 멈춰 세웠다.

⑧ She (finished / finishd) her homework.　그녀는 숙제를 끝냈다.

⑨ They (goed / went) camping yesterday.　그들은 어제 캠핑을 갔다.

⑩ We (eated / ate) Chinese food for lunch.　우리는 점심으로 중국 음식을 먹었다.

B 다음 주어진 동사를 과거형으로 바꿔 쓰세요.

① She ___hugged___ her son. (hug)

② He _____ the orange. (cut)

③ James _____ his grandparents. (visit)

④ I _____ Jenny at the bookstore. (meet)

⑤ The boy _____ science yesterday. (study)

⑥ Nate _____ to school this morning. (walk)

⑦ My uncle _____ in Denmark for five years. (live)

C 우리말에 맞게 보기의 단어를 이용하여 문장을 완성하세요.

| 보기 | stay | try | move | put | have |

① 그녀는 호텔에 머물렀다.
→ She ___stayed___ at the hotel.

② 우리는 아주 좋은 시간을 보냈다.
→ We _____ a great time.

③ Sean(션)은 그 시험에 최선을 다했다.
→ Sean _____ his best on the test.

④ 내 친구는 지난달에 인천으로 이사했다.
→ My friend _____ to Incheon last month.

⑤ Monica(모니카)는 상자에 초콜릿 몇 개를 넣었다.
→ Monica _____ some chocolates in the box.

D 우리말에 맞게 다음 밑줄 친 부분을 바르게 고쳐 쓰세요.

① She doed yoga yesterday. → ___did___
그녀는 어제 요가를 했다.

② They planed their trip. → _____
그들은 그들의 여행을 계획했다.

③ I enjoied the concert. → _____
나는 그 콘서트를 즐겼다.

④ The kids rided their bikes. → _____
그 아이들은 자전거를 탔다.

⑤ The boy runed to his mom. → _____
그 남자아이는 엄마에게 달려갔다.

Step 3 배운 내용을 문장에 적용해요.

A 다음 문장을 과거형으로 바꿔 쓰세요.

① David **reads** a newspaper. 데이비드는 신문을 읽는다.
→ David read a newspaper.

② My parents **worry** about me. 나의 부모님은 나에 대해 걱정하신다.
→ _____

③ The baby **smiles** at me. 그 아기는 나에게 미소 짓는다.
→ _____

④ He **comes** home late. 그는 집에 늦게 온다.
→ _____

⑤ Peter **does** the dishes. 피터는 설거지를 한다.
→ _____

B 우리말에 맞게 주어진 단어를 이용하여 문장을 완성하세요.
(필요하면 단어를 추가하거나 형태를 바꾸세요.)

① 그 드론은 매우 낮게 날았다. (fly, very low, the drone)
→ The drone flew very low.

② 그녀는 나를 위해 샌드위치를 만들어 주었다. (a sandwich, make)
→ _____ for me.

③ 나는 내 휴대전화를 물에 떨어뜨렸다. (cellphone, drop)
→ _____ in the water.

④ Jenny(제니)는 소파에 앉았다. (on the sofa, sit)
→ _____

⑤ David(데이비드)는 큰 트럭을 운전했다. (drive, a big truck)
→ _____

UNIT 3 **Did** you **eat** breakfast **?**

Step 1 일반동사 과거형의 부정문과 의문문은 어떻게 만들까요?

일반동사 과거형의 부정문과 의문문을 만들기 위해서는 반드시 did가 필요해요.
부정문은 일반동사 앞에 did not[didn't]를 넣으면 되고, 의문문은 주어 앞에 Did를 넣으면 돼요.
이때 동사는 무조건 동사원형을 쓴다는 것을 기억하세요.

+ 일반동사 과거형의 부정문 +

did not(= didn't) **+ 동사원형** ~하지 않았다	I **had** dinner with my parents. → I **did not have** dinner with my parents. 나는 부모님과 함께 저녁 식사를 하지 않았다. She **went** to the library. → She **didn't go** to the library. 그녀는 도서관에 가지 않았다. My sister **read** the book last night. → My sister **didn't read** the book last night. 내 여동생은 어젯밤 그 책을 읽지 않았다.

✔체크 did not[didn't] 뒤에는 반드시 동사원형을 써야 해요.
He **didn't took** pictures. (X) He **didn't take** pictures. (O) (그는 사진을 찍지 않았다.)

+ 일반동사 과거형의 Yes/No 의문문 +

Did + 주어 + 동사원형 ~? ~했니?	Yes, 주어 + did. 응, 그랬어.	No, 주어 + didn't. 아니, 그렇지 않았어.
Did you eat breakfast? 너는 아침을 먹었니?	Yes, I **did.**	No, I **didn't.**
Did your brother buy the jacket? 네 남동생은 그 재킷을 샀니?	Yes, he **did.**	No, he **didn't.**

✔체크 의문문의 주어가 명사인 경우, 알맞은 대명사로 바꿔 대답해야 해요.
Q: Did **your brother** go to school? (네 형은 학교에 갔니?)
A: Yes, **he** did. (응, 그랬어.)

A 다음 (   ) 안에서 알맞은 것을 고르세요.

① We (**did not** / weren't) go camping.

② I (wasn't / didn't) know the answer.

③ Smith didn't (drive / drove) our car fast.

④ She (don't / didn't) buy the books yesterday.

⑤ Did you (had / have) a good time?

⑥ (Does / Did) he win the game last week?

⑦ (Were / Did) the students visit the museum?

B 우리말에 맞게 주어진 단어를 이용하여 문장을 완성하세요.

① Kate(케이트)는 숙제를 하지 않았다. (do)

→ Kate ___didn't___ ___do___ her homework.

② 그녀는 이 도시에 살았니? (live)

→ _____ she _____ in this city?

③ 너는 저녁 식사 후에 이를 닦았니? (brush)

→ _____ you _____ your teeth after dinner?

④ 나는 내 휴대전화를 가져오지 않았다. (bring)

→ I _____ _____ my cellphone.

⑤ 내 남동생은 자전거를 원하지 않았다. (want)

→ My brother _____ _____ a bike.

C 다음 문장을 부정문으로 바꿀 때, 빈칸에 알맞은 말을 쓰세요.

❶ I slept well last night. 나는 어젯밤 잘 잤다.

→ I ___didn't___ ___sleep___ well last night.

❷ She stood behind the car. 그녀는 자동차 뒤에 서 있었다.

→ She _____ _____ behind the car.

❸ The bus stopped at the red light. 그 버스는 빨간불에 멈춰 섰다.

→ The bus _____ _____ at the red light.

❹ I wrote a letter to my friend. 나는 내 친구에게 편지를 썼다.

→ I _____ _____ a letter to my friend.

D 다음 문장을 의문문으로 바꿀 때, 빈칸에 알맞은 말을 쓰세요.

❶ He lost his camera. 그는 그의 카메라를 잃어버렸다.

→ Q ___Did___ he ___lose___ his camera?

　 A Yes, he ___did___ .

❷ Sophia liked the present. 소피아는 그 선물을 좋아했다.

→ Q _____ Sophia _____ the present?

　 A No, she _____ .

❸ The police officers caught the thief. 경찰들은 그 도둑을 잡았다.

→ Q _____ the police officers _____ thief?

　 A Yes, they _____ .

❹ I drank a can of soda. 나는 탄산음료 한 캔을 마셨다.

→ Q _____ you _____ a can of soda?

　 A No, I _____ . I _____ a glass of milk.

Step 3 배운 내용을 문장에 적용해요.

A 다음 문장을 괄호 안의 지시대로 바꿔 쓰세요.

❶ Kelly studied science. 켈리는 과학을 공부했다.

→ (부정문)　Kelly didn't study science.

❷ They built the bridge last year. 그들은 작년에 그 다리를 지었다.

→ (의문문) _____ last year?

❸ My brother got up early. 나의 형은 일찍 일어났다.

→ (부정문) _____ early.

❹ Jack and Mike swam in the sea. 잭과 마이크는 바다에서 수영했다.

→ (의문문) _____

❺ I baked cookies yesterday. 나는 어제 쿠키를 구웠다.

→ (부정문) _____ yesterday.

B 우리말에 맞게 주어진 단어를 이용하여 문장을 완성하세요.
(필요하면 단어를 추가하세요.)

❶ 그는 어제 그 기차를 타지 않았다. (take, the train)

→　He didn't take the train _____ yesterday.

❷ 그 콘서트는 한 시간 전에 시작했니? (the concert, start)

→ _____ an hour ago?

❸ 너는 지난주 토요일에 야구를 했니? (play, baseball)

→ _____ last Saturday?

❹ 우리는 오늘 학교에 걸어가지 않았다. (walk, to school)

→ _____ today.

❺ Wilson(윌슨)은 내 생일을 잊지 않았다. (birthday, forget)

→ _____

01 다음 중 과거를 나타내는 문장 두 개를 고르세요.

① Are you scared?

② Were you a pilot?

③ The little dog was brave.

④ This umbrella isn't mine.

⑤ Mark is at home.

[02~03] 다음 중 동사의 현재형과 과거형이 잘못 짝지어진 것을 고르세요.

02 ① take - took

② ride - rided

③ cry - cried

④ walk - walked

⑤ drive - drove

03 ① cut - cut

② like - liked

③ see - saw

④ study - studied

⑤ stand - standed

[04~05] 다음 빈칸에 알맞은 be동사의 과거형을 쓰세요.

04 Jake and I _____ at the zoo.

05 My grandfather _____ a police officer.

[06~07] 다음 빈칸에 들어갈 말이 바르게 짝지어진 것을 고르세요.

06
· The singers _____ famous.
· The cake _____ delicious.

① was - were   ② was - was

③ were - was   ④ were - were

07
· _____ you sad?
· James _____ in the pool.

① Were - weren't

② Was - weren't

③ Was - wasn't

④ Were - wasn't

[08~10] 다음 ( ) 안에서 알맞은 것을 고르세요.

08 Jack and his friends (maked / made) a snowman.

09 Steve (runned / ran) in the park yesterday.

10 My brother (goes / went) to school yesterday.

[11~15] 다음 문장을 과거형으로 바꿀 때, 빈칸에 알맞은 말을 쓰세요.

11 My cousins aren't in Spain.

→ My cousins _____ in Spain.

12 Is the apple pie sweet?

→ _____ the apple pie sweet?

13 The boys don't clean the classroom.

→ The boys _____ _____ the classroom.

14 My sister and I see a movie.

→ My sister and I _____ a movie.

15 She puts the vase on the table.

→ She _____ the vase on the table.

16 다음 중 밑줄 친 부분이 <u>잘못된</u> 것을 고르세요.

① They <u>arrived</u> early.

② She <u>finished</u> her work at 6.

③ Paul <u>hurried</u> to the hospital.

④ My friends <u>planed</u> a party.

⑤ I <u>didn't see</u> her at school yesterday.

[17~18] 우리말에 맞게 주어진 단어를 이용하여 문장을 완성하세요.

17 Peter(피터)는 2년 전에 태권도를 배웠다. (learn)

→ Peter _____ taekwondo two years ago.

18 그는 어제 빨래를 했니? (do)

→ _____ he _____ the laundry yesterday?

[19~20] 다음 밑줄 친 부분을 바르게 고쳐 쓰세요.

19 <u>Was</u> you at the theater?
너는 극장에 있었니?

→ _____

20 I <u>don't catch</u> a cold last winter.
나는 지난겨울에 감기에 걸리지 않았다.

→ _____

A 다음 (   ) 안에서 알맞은 것을 고르세요.

❶ Anne ((wasn't) / weren't) shy.

❷ The subway (was / were) dirty.

❸ My sister will (study / studies) English.

❹ The rain (stoped / stopped) 30 minutes ago.

❺ We (was / were) at the restaurant yesterday.

❻ He is going to (read / reading) the book.

B 우리말에 맞게 보기의 단어를 이용하여 문장을 완성하세요.
(필요하면 단어의 형태를 바꾸세요.)

보기	will	going	to	be	buy	go

❶ Dan ___was___ late for school.
댄은 학교에 늦었다.
Dan is ___going___ ___to___ ___be___ late for school.
댄은 학교에 늦을 것이다.

❷ She _____ the table yesterday.
그녀는 어제 그 탁자를 샀다.
She _____ _____ the table tomorrow.
그녀는 내일 그 탁자를 살 것이다.

❸ My friends _____ on a picnic.
내 친구들은 소풍을 갔다.
My friends are _____ _____ _____ on
a picnic. 내 친구들은 소풍을 갈 것이다.

조동사 can, may

학습 목표

UNIT 1　She **can play** the violin.

Step 1　조동사 can은 동사에 어떤 의미를 더해 줄까요?

조동사는 be동사나 일반동사 앞에 쓰여 동사에 의미를 더해 주는 역할을 해요.
조동사 뒤에는 반드시 동사원형이 와요.
조동사 can은 '~할 수 있다, ~해도 된다'라는 뜻으로 능력/가능, 허락의 의미를 나타내요.

✛ can의 의미와 쓰임 ✛

can + 동사원형	~할 수 있다	She **can play** the violin. 그녀는 바이올린을 연주할 수 있다.
	~해도 된다, ~해도 좋다	You **can go** home now. 너는 지금 집에 가도 돼.

> 조동사는 주어에 따라 모양이 바뀌지 않아요.

✔체크　조동사 뒤에는 항상 동사원형이 와요. He **can speaks** (X)　He **can speak** (O)
　　　am, are, is의 동사원형은 be로 써요. You **can be** an actor. (너는 배우가 될 수 있다.)

✛ can의 부정문 ✛

cannot(= can't) + 동사원형	~할 수 없다	My brother **cannot speak** English. 내 남동생은 영어를 말할 수 없다.
	~하면 안 된다	You **can't swim** here. 너는 여기서 수영하면 안 돼.

✛ can의 의문문 ✛

> 대답할 때 주어는 알맞은 대명사로 바꿔 써야 해요.

Can + 주어 + 동사원형 ~?		Yes, 주어 + can.	No, 주어 + can't.
~할 수 있니?	Can she **play** the violin? 그녀는 바이올린을 연주할 수 있니?	Yes, she **can**. 응, 할 수 있어.	No, she **can't**. 아니, 할 수 없어.
~해도 되나요?	Can I **go** home now? 지금 집에 가도 되나요?	Yes, you **can**. 네, 돼요.	No, you **can't**. 아니요, 안 돼요.
~해 줄래요?	Can you **open** the door? 문 좀 열어 줄래요?	Sure, I **can**. 물론이죠.	Sorry, I **can't**. 죄송하지만, 안 돼요.

✔체크　「Can you ~?」는 '부탁이나 요청'의 의미를 나타내기도 해요. 뒤에 please를 붙이면 좀 더 공손한 표현이 돼요.
　　　'요청'의 질문에는 Sure/Okay/Sorry 등으로 대답해요.
　　　Q: **Can you** help me, **please?** (저를 좀 도와주시겠어요?)
　　　A: Sure. (물론이죠.)

A 다음 ( ) 안에서 알맞은 것을 고르세요.

❶ Olivia can ((run) / runs) fast.

올리비아는 빨리 달릴 수 있다.

❷ He (can / cans) ski well.

그는 스키를 잘 탈 수 있다.

❸ Can Jack (play / plays) golf?

잭은 골프를 칠 수 있니?

❹ I (cannot / not can) bake a cake.

나는 케이크를 구울 수 없다.

❺ (I can / Can I) eat this sandwich?

이 샌드위치를 먹어도 되나요?

❻ Adam can (move / moves) this table.

아담은 이 탁자를 옮길 수 있다.

❼ (Can you / You can) wait here?

여기서 기다려줄래?

❽ (Do / Can) Ellen read Korean?

엘렌은 한국어를 읽을 수 있니?

❾ Amy (cannot cook / can cook not) pasta.

에이미는 파스타를 요리할 수 없다.

❿ You can't (touches / touch) the paintings.

당신은 그림들을 만지면 안 됩니다.

B 다음 질문에 알맞은 대답을 고르세요.

❶ Q Can Daniel solve this problem?

A ☐ Yes, he cans. ☑ No, he can't.

❷ Q Can I eat this chocolate?

A ☐ Yes, I can. ☐ Yes, you can.

❸ Q Can the penguins fly?

A ☐ No, they can't. ☐ No, it can't.

❹ Q Can you turn off the light?

A ☐ Sure, I can't. ☐ Sure, I can.

C 우리말에 맞게 can과 주어진 단어를 이용하여 문장을 완성하세요.

❶ 그 아이들은 자전거를 탈 수 있다. (ride)

→ The kids _____can_____ _____ride_____ bikes.

❷ 네 우산을 빌릴 수 있을까? (borrow)

→ _____ I _____ your umbrella?

❸ 내 남동생은 그 상자를 들어 올릴 수 없다. (lift)

→ My brother _____ _____ the box.

❹ 벌들은 꿀을 만들 수 있다. (make)

→ Bees _____ _____ honey.

❺ 너는 밤에 드럼을 치면 안 된다. (play)

→ You _____ _____ the drums at night.

❻ 나 좀 도와줄래? (help)

→ _____ you _____ me?

D 다음 밑줄 친 조동사의 의미로 알맞은 것을 고르세요.

❶ Emily can't jump high.　　　　☑ ~할 수 없다　② ~하면 안 된다

❷ Can I ask a question?　　　　① ~해 줄래요?　② ~해도 되나요?

❸ My dad can do magic.　　　　① ~할 수 있다　② ~해도 된다

❹ Can you close the window?　　① ~해도 되나요?　② ~해 줄래요?

❺ You can't run in the classroom.　① ~하면 안 된다　② ~해도 된다

❻ Can your brother swim?　　　① ~해 줄래?　② ~할 수 있니?

A 우리말에 맞게 주어진 단어를 배열하세요.

❶ Stella(스텔라)는 중국어를 쓸 수 있다. (can / Chinese / Stella / write)

→ ___Stella can write Chinese.___

❷ 그 질문에 답해주시겠어요? (the question / you / can / answer)

→ _____

❸ 나의 삼촌은 운전할 수 없다. (uncle / a car / can't / my / drive)

→ _____

❹ 너는 밖에서 놀아도 된다. (play / can / outside / you)

→ _____

❺ 이 로봇은 집을 청소할 수 있니? (the house / robot / can / clean / this)

→ _____

B 우리말에 맞게 can과 주어진 단어를 이용하여 문장을 완성하세요.
(필요하면 단어를 추가하세요.)

❶ 너는 내 지우개를 써도 돼. (use, eraser)

→ ___You can use my eraser.___

❷ James(제임스)는 매운 음식을 먹을 수 있다. (spicy food, eat)

→ _____

❸ 그녀는 그 시험에 통과할 수 있니? (the exam, pass)

→ _____

❹ 너는 여기서 길을 건너면 안 된다. (cross, the street, here)

→ _____

❺ 제가 여기서 사진을 찍어도 되나요? (take, a picture, here)

→ _____

UNIT 2 May I **borrow** your book?

Step 1 조동사 may는 동사에 어떤 의미를 더해 줄까요?

조동사 may는 '~해도 된다'라는 뜻으로 허락의 의미를 나타내요.
may 또한 조동사이므로 주어에 따라 모양이 바뀌지 않으며, may 뒤에는 반드시 동사원형이 와야 해요.

+ may의 의미와 쓰임 +

may + 동사원형	~해도 된다, ~해도 좋다	You **may go** now. 당신은 이제 가도 좋습니다. You **may use** my cellphone. 너는 내 휴대전화를 사용해도 돼.

✔체크 can과 may 모두 '허락'의 의미를 나타내지만, may를 사용하면 좀 더 정중한 표현이 될 수 있어요.

+ may의 부정문 +

> may not은
> 줄임말이 없어요.

may not + 동사원형	~하면 안 된다	You **may not use** my computer. 너는 내 컴퓨터를 사용하면 안 된다. Visitors **may not feed** the animals. 방문객들은 동물들에게 먹이를 주면 안 됩니다.

> may나 may not은
> 공공 표지판이나
> 정해진 규칙에 흔히 쓰여요.

✔체크 may not보다 cannot[can't]이 '가벼운 금지'를 나타내어 더 자주 사용돼요.

+ may의 의문문 +

May + 주어 + 동사원형 ~? ~해도 되나요?	Yes, 주어 + may. 네, 돼요.	No, 주어 + may not. 아니요, 안 돼요.
May I go to the bathroom? 화장실에 가도 되나요? **May we come** in? 저희가 들어가도 될까요?	Yes, you may.	No, you **may not.**

A 다음 ( ) 안에서 알맞은 것을 고르세요.

❶ You (**may** / mays) sit here.   너는 여기 앉아도 된다.

❷ May I (come / came) in?   들어가도 될까요?

❸ You may (go / goes) to the bathroom.   너는 화장실에 가도 된다.

❹ You (may use / use may) the computer.   너는 그 컴퓨터를 사용해도 된다.

❺ You (mayn't / may not) have ice cream.   너는 아이스크림을 먹으면 안 된다.

❻ You (take may / may take) a picture here.   너는 여기에서 사진을 찍어도 된다.

❼ (May I / Do I may) ask a question?   질문해도 될까요?

❽ You (may not / not may) open the window.   너는 창문을 열면 안 된다.

B 다음 밑줄 친 조동사의 의미로 알맞은 것을 고르세요.

❶ You <u>may</u> open your book.   ① ~할 수 있다   ☑ ~해도 된다

❷ <u>May</u> I go to bed?   ① ~해도 되나요?   ② ~해 줄래요?

❸ You <u>may not</u> use this room.   ① ~해도 된다   ② ~하면 안 된다

❹ <u>May</u> we go out now?   ① ~해 줄래요?   ② ~해도 되나요?

C 다음 질문을 보고, 빈칸에 알맞은 대답을 쓰세요.

❶ Q May I borrow your pencil?   A Yes, _you may_ .

❷ Q May I wear your jacket?   A No, _____ .

❸ Q May the students bring their cellphones?   A Yes, _____ .

D 우리말에 맞게 may와 주어진 단어를 이용하여 문장을 완성하세요.

① 너는 지금 TV를 봐도 된다. (watch)

→ You ____may____ ____watch____ TV now.

② 당신의 표를 봐도 될까요? (look)

→ _____ I _____ at your ticket?

③ 당신은 반려동물을 데려오면 안 됩니다. (bring)

→ You _____ _____ _____ your pet.

④ Bill(빌)은 오늘 우리 집에 머물러도 된다. (stay)

→ Bill _____ _____ at our house today.

⑤ 너는 버스에서 음식을 먹으면 안 된다. (eat)

→ You _____ _____ _____ food on the bus.

⑥ Jessie(제시)와 통화할 수 있을까요? (speak)

→ _____ I _____ to Jessie?

⑦ 너는 지금 컴퓨터 게임을 하면 안 된다. (play)

→ You _____ _____ _____ computer games now.

E 다음 밑줄 친 부분을 바르게 고쳐 쓰세요.

① May <u>sit we</u> here? → ____we sit____

② You <u>may go not</u> home early. → _____

③ May I <u>visiting</u> your house today? → _____

④ Students <u>mays bring</u> their lunch. → _____

A 우리말에 맞게 주어진 단어를 배열하세요.

① 당신의 주문을 받아도 될까요? (I / order / take / may / your)

→   May I take your order?

② 너는 우리 팀과 함께해도 좋다. (team / may / our / you / join)

→ _____

③ 너는 지금 떠나면 안 된다. (leave / you / not / now / may)

→ _____

④ 내가 당신의 자전거를 타도 되나요? (I / your / ride / bike / may)

→ _____

⑤ 너는 이 쿠키들을 먹어도 된다. (you / cookies / have / may / these)

→ _____

B 우리말에 맞게 may와 주어진 단어를 이용하여 문장을 완성하세요.
(필요하면 단어를 추가하세요.)

① 너는 그 그림들을 만지면 안 된다. (the paintings, touch)

→   You may not touch the paintings.

② 제가 지금 선물들을 열어봐도 되나요? (open, the presents, now)

→ _____

③ 너는 내 휴대전화를 사용해도 된다. (cellphone, use)

→ _____

④ 우리가 동물들에게 먹이를 줘도 되나요? (feed, the animals)

→ _____

⑤ 너는 늦게 잠자리에 들면 안 돼. (go to bed, late)

→ _____

[01~04] 다음 문장에서 주어진 단어가 들어갈 알맞은 위치를 고르세요.

01 can

① Jake ② dance ③ well.

02 may

You ① use ② the ③ copy machine now.

03 drink

Can ① I ② some ③ water?

04 not

You ① may ② pick ③ the flowers.

05 다음 중 주어진 우리말을 영어로 바르게 옮긴 것을 고르세요.

빗자루 좀 가져다줄래요?

① Can I bring a broom?
② May you bring a broom?
③ Can you bring a broom?
④ May I bring a broom?
⑤ You can bring a broom.

[06~07] 다음 질문에 대한 대답으로 알맞은 것을 고르세요.

06

Can you fix computers?

① Yes, you can.   ② Yes, I can.
③ No, we can.   ④ No, you can't.
⑤ Yes, I can't.

07

May I go now?

① Yes, I may.
② No, you can.
③ Yes, you mayn't.
④ No, you may not.
⑤ No, I may not.

[08~10] 다음 밑줄 친 조동사의 의미로 알맞은 것을 골라 그 기호를 쓰세요.

a. ~할 수 있니?   b. ~해 줄래요?
c. ~해도 되나요?   d. ~할 수 없다

08 Can you play the drums?

→ _____

09 The actor can't ride a horse.

→ _____

10 May I go to the park now?

→ _____

11 다음 밑줄 친 can이 보기와 같은 의미로 쓰인 것을 고르세요.

> <보기>   You <u>can</u> use my pen.

① You <u>can</u> drive my car.

② We <u>can</u> make delicious pies.

③ Kangaroos <u>can</u> jump very high.

④ Alice <u>can</u> skateboard well.

⑤ My uncle <u>can</u> cook well.

[12~15] 다음 보기에서 알맞은 조동사를 골라 문장을 완성하세요.

> <보기>   can   can't

12 My sister _____ drive a car. She's 16 years old.

13 Jeff finished his homework. He _____ watch TV now.

> <보기>   may   may not

14 You _____ sit on the bench. We painted it this morning.

15 It's not raining outside. You _____ go out now.

[16~17] 다음 중 잘못된 문장을 고르세요.

16 ① You can't stay here.

② Can I turn on the music?

③ Can you help me?

④ You can wear my coat.

⑤ She can speaks Japanese.

17 ① You may use this car.

② Do may I leave the room?

③ You may sleep on the bed.

④ You may not eat in the library.

⑤ May I use your camera?

[18~20] 다음 문장을 괄호 안의 지시대로 바꿔 쓰세요.

18 I can hear your voice.

➡ (부정문) _____

_____

19 You may wait here.

➡ (부정문) _____

_____

20 Sam can make hamburgers.

➡ (의문문) _____

_____

REVIEW

A 다음 ( ) 안에서 알맞은 것을 고르세요.

❶ Can Maria (play / plays) the piano?

❷ (Was / Were) they busy last week?

❸ Tom (telled / told) a lie to me.

❹ I (cannot / not can) solve this problem.

❺ She didn't (clean / cleaned) her room.

B 우리말에 맞게 보기의 단어를 이용하여 문장을 완성하세요.
(필요하면 단어의 형태를 바꾸세요.)

| 보기 | be | did | can | may | play | stop |

❶ The elevator ___stopped___ on the fifth floor.
그 엘리베이터가 5층에서 멈췄다.

❷ _____ you _____ the car, please?
차 좀 세워주시겠어요?

❸ Dave _____ very tired last night.
데이브는 어젯밤 매우 피곤했다.

❹ You _____ _____ a great scientist.
너는 훌륭한 과학자가 될 수 있다.

❺ I _____ _____ the piano yesterday.
나는 어제 피아노를 치지 않았다.

❻ You _____ _____ the piano here.
너는 여기에서 피아노를 연주해도 된다.

의문사

학습 목표

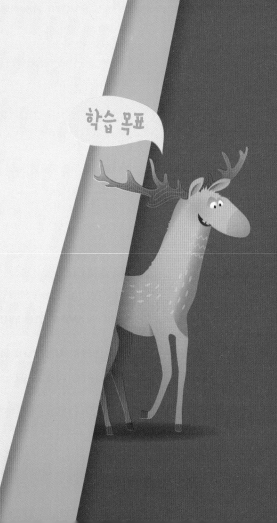

UNIT 1

의문사 + be동사 의문문

When is your birthday?

Step 1 의문사가 들어간 be동사의 의문문은 어떻게 만들까요?

의문사는 사람이나 사물의 이름, 시간, 장소 등 자세한 정보를 물어볼 때 쓰는 말로, 문장의 맨 앞에 와요.
이때 be동사는 의문사 바로 뒤에 오고 주어가 단수 명사일 때는 is 또는 was,
복수 명사일 때는 are 또는 were가 와요.

+「의문사 + be동사」 의문문 +

의문사	의문사 + be동사 + 주어 ~?	대답
Who 누구	**Who's** she? 그녀는 누구니? ('의문사+is'는 줄여 쓸 수 있어요.)	She is **my sister.** 그녀는 내 여동생이야.
When 언제	**When is** your birthday? 네 생일은 언제니?	It is **April 10th.** 4월 10일이야.
Where 어디에(서)	**Where are** my pencils? 내 연필들은 어디에 있니?	They are **on the desk.** 그것들은 책상 위에 있어.
What 무엇	**What's** your name? 네 이름은 무엇이니?	My name is **Kate.** 내 이름은 케이트야.
How 어떤, 어떻게	**How's** the weather? 날씨가 어떠니? **How is** your mother? 네 어머니는 어떻게 지내시니?	It's **rainy.** 비가 와. She's **fine.** 잘 지내셔. (대답할 때는 주로 '~이기 때문에'라는 뜻의 because를 써요. ☞ Plus ❸ CHAPTER 6)
Why 왜	**Why is** he happy? 그는 왜 행복하니?	He's happy **because it's his birthday.** 그는 그의 생일이기 때문에 행복해.

+「의문사 + be동사」 의문문의 과거형 +

am/is → was	How **is the weather** today? 오늘 날씨가 어떠니? → How **was the weather** last week? 지난주 날씨가 어땠니?
are → were	Where **are you** now? 너는 지금 어디에 있니? → Where **were you** last night? 너는 어젯밤에 어디에 있었니?

✔체크 be동사 다음에 오는 명사나 대명사 주어에 따라 알맞은 be동사를 써야 해요.
Where **are/were** <u>my socks</u>? (내 양말은 어디에 있니/있었니?)

A 다음 (   ) 안에서 알맞은 것을 고르세요.

❶ Q ((Who) / What) is the girl?　그 여자아이는 누구니?
　A She's my sister.　그녀는 내 여동생이야.

❷ Q (How / What) was your trip?　네 여행은 어땠니?
　A It was great.　아주 좋았어.

❸ Q (Where / When) is the concert?　그 콘서트는 언제니?
　A It's next week.　다음 주야.

❹ Q Who (is / are) the little boy?　그 어린 남자아이는 누구니?
　A He's Andrew's son.　그는 앤드류의 아들이야.

❺ Q (What / How) is his name?　그의 이름은 무엇이니?
　A His name is Ian.　그의 이름은 이안이야.

❻ Q Where (are / were) the kids?　그 아이들은 어디에 있었니?
　A They were at the playground.　그들은 놀이터에 있었어.

B 다음 보기에서 알맞은 말을 골라 대화를 완성하세요.

| 보기 | how | what | when | who | where |

❶ Q ___Where___ are my notebooks?　A They are on the chair.

❷ Q _____ is that tall woman?　A She's my mom.

❸ Q _____ was your vacation?　A It was last month.

❹ Q _____ is the book?　A It is very interesting.

❺ Q _____ was his job?　A He was a pilot.

C 우리말에 맞게 빈칸에 알맞은 의문사와 be동사를 쓰세요.

① 네 선생님은 왜 화가 나셨니?

→ _____Why_____ _____was_____ your teacher angry?

② 네가 가장 좋아하는 색깔은 무엇이니?

→ _____ _____ your favorite color?

③ 그 소풍은 어땠니?

→ _____ _____ the picnic?

④ 네 다음 수업은 언제니?

→ _____ _____ your next class?

⑤ 저 남자아이들은 누구니?

→ _____ _____ those boys?

⑥ 너는 어젯밤에 어디에 있었니?

→ _____ _____ you last night?

D 다음 밑줄 친 부분을 바르게 고쳐 쓰세요.

① Q <u>Why</u> is the movie theater?　　　→ _____Where_____

　　A It's next to the bank.

② Q <u>How</u> is your favorite food?　　　→ _____

　　A It's pizza.

③ Q Where <u>did</u> my watch?　　　→ _____

　　A It was in the drawer.

④ Q <u>What</u> was the weather?　　　→ _____

　　A It was cloudy.

A 우리말에 맞게 주어진 단어를 바르게 배열하세요.

① 다음 버스는 언제 있니? (when / the / bus / next / is)

→   When is the next bus?

② 그의 우산은 어디에 있었니? (was / where / his / umbrella)

→

③ 네 가장 친한 친구들은 누구니? (best / your / who / are / friends)

→

④ 그녀의 전화번호는 무엇이니? (her / is / what / phone / number)

→

⑤ 너의 반 친구들은 어땠니? (classmates / how / your / were)

→

B 우리말에 맞게 주어진 단어를 이용하여 문장을 완성하세요.
(필요하면 단어를 추가하거나 형태를 바꾸세요.)

① 네가 가장 좋아하는 영화는 무엇이니? (be, favorite, movie)

→   What is your favorite movie?

② 그 축제는 언제니? (be, the festival)

→

③ 그 새로운 식당은 어땠니? (be, the new restaurant)

→

④ 지금 너희 부모님은 어디에 계시니? (be, parents)

→   now?

⑤ 그 아이들은 왜 운동장에 있었니? (be, the children, at the playground)

→

UNIT 2 What does she do?

Step 1 의문사와 일반동사의 의문문은 어떻게 만들까요?

일반동사의 의문문 맨 앞에 의문사를 더하면 장소, 시간, 방법 등 구체적인 정보를 물어볼 때 쓸 수 있어요.
「의문사+do/does+주어+동사원형 ~?」의 순서로 써요.

+ 「의문사 + 일반동사」 의문문 +

> 주어가 3인칭 단수일 때는 does를 쓰고,
> 나머지는 모두 do를 써요.

의문사	의문사 + do/does + 주어 + 동사원형 ~?	대답
Who 누구	Who do you **like**? 너는 누구를 좋아하니?	I like **Jason.** 나는 제이슨을 좋아해.
What 무엇	What does he **do**? 그는 무슨 일을 하니?	He is **a vet.** 그는 수의사야.
Where 어디에(서)	Where do they **live**? 그들은 어디에 사니?	They live **in Busan.** 그들은 부산에 살아.
When 언제	When does your class **end**? 네 수업은 언제 끝나니?	It ends **at 4 p.m.** 오후 4시에 끝나.
How 어떤, 어떻게	How do you **go** to school? 너는 어떻게 학교에 가니?	I **walk** to school. 나는 걸어서 학교에 가.
Why 왜	Why does she **play** soccer? 그녀는 왜 축구를 하니?	She plays soccer **because it's fun.** 그녀는 축구가 재밌어서 하는 거야.

✔체크 who 뒤에 일반동사가 바로 오는 의문문도 있어요. 이때 who는 **주어 역할**을 해요.
Who teaches math? (누가 수학을 가르치니?) *현재일 때는 항상 단수형 동사를 써요.
Who wrote the story? (누가 그 이야기를 썼니?)

+ 「의문사 + 일반동사」 의문문의 과거형 +

의문사 + did + **주어 + 동사원형 ~?** ~했니?	Q What did Jane **eat** yesterday? 제인은 어제 무엇을 먹었니? A She **ate** pizza. 그녀는 피자를 먹었어.

✔체크 「의문사+일반동사」 의문문의 과거형에서는 주어에 상관없이 항상 did를 써요.

A 다음 (   ) 안에서 알맞은 것을 고르세요.

① Q (What / (Where)) do you live?

너는 어디에 사니?

A I live in Seoul.

나는 서울에 살아.

② Q When (do / does) the store open?

그 가게는 언제 여니?

A It opens at 9.

그것은 9시에 열어.

③ Q (How / What) did you pass the test?

너는 그 시험을 어떻게 통과했니?

A I studied hard.

나는 열심히 공부했어.

④ Q What (is / does) your mother do?

너희 엄마는 무슨 일을 하시니?

A She's a designer.

디자이너셔.

⑤ Q (Why / Where) did you buy that shirt?

너는 저 셔츠를 어디에서 샀니?

A I bought it online.

나는 그것을 온라인으로 샀어.

B 우리말에 맞게 보기에서 알맞은 말을 골라 빈칸에 쓰세요.

| 보기 | when | how | why | what | do | does | did |

① 그 수업은 언제 끝났니?

→ _____When_____ _____did_____ the class end?

② Toby(토비)는 무엇을 원하니?

→ _____ _____ Toby want?

③ 그녀는 왜 늦게 왔니?

→ _____ _____ she come late?

④ 너는 여가시간을 어떻게 보내니?

→ _____ _____ you spend your free time?

C 다음 보기에서 알맞은 의문사를 골라 빈칸에 쓰세요.

> **보기** when   how   where   why   what   who

❶ Q ___What___ did you eat for lunch?

A I ate a sandwich.

❷ Q _____ does Andy work?

A He works at a hotel.

❸ Q _____ does Molly go to school?

A She goes to school by bus.

❹ Q _____ does the movie start?

A It starts at 5:30.

❺ Q _____ told you the plan?

A Kate told me.

❻ Q _____ does Jenny like winter?

A She likes it because she likes snow.

D 다음 밑줄 친 부분을 바르게 고쳐 쓰세요.

❶ What <u>was</u> they find?　　　　→ ___did___

그들은 무엇을 발견했니?

❷ What <u>do</u> he want for his birthday?　　→ _____

그는 생일선물로 무엇을 원하니?

❸ How did you <u>made</u> these cookies?　　→ _____

너는 이 쿠키들을 어떻게 만들었니?

❹ When does <u>start the class</u>?　　→ _____

그 수업은 언제 시작하니?

Step 3 배운 내용을 문장에 적용해요.

A 우리말에 맞게 주어진 단어를 바르게 배열하세요.

❶ 너는 지난 주말에 어디에 갔니? (did / go / you / where)

→ _Where did you go_ last weekend?

❷ 누가 네 방을 청소하니? (room / cleans / your / who)

→ _____

❸ 그녀는 무엇을 읽니? (what / she / does / read)

→ _____

❹ 너는 언제 음악을 듣니? (when / listen to / you / do / music)

→ _____

❺ 그는 그 문제를 어떻게 풀었니? (the problem / how / he / solve / did)

→ _____

B 우리말에 맞게 주어진 단어를 이용하여 문장을 완성하세요.
(필요하면 단어를 추가하거나 형태를 바꾸세요.)

❶ 너는 네 옷을 어디에서 사니? (buy, clothes, do)

→ _Where do you buy your clothes?_

❷ 너는 오늘 아침으로 뭘 먹었니? (have, do)

→ _____ for breakfast today?

❸ Brian(브라이언)이 너를 어떻게 아니? (know, do)

→ _____

❹ 그 비행기는 언제 도착하니? (arrive, the plane, do)

→ _____

❺ 그는 왜 박물관에 갔니? (go, to the museum, do)

→ _____

UNIT 3 **How often** do you exercise?

Step 1 의문사 뒤에 명사, 형용사 등이 함께 쓰이는 의문문에 대해 알아볼까요?

의문사 What과 Whose는 뒤에 명사를 써서 구체적인 내용을 물을 때 쓰여요.
의문사 How는 뒤에 형용사/부사를 써서 나이, 키 등을 물을 때 쓸 수 있어요.

+ 「What/Whose + 명사」 의문문 +

What time 몇 시	Q **What time** was it? 몇 시였니? A It was **3 o'clock**. 3시였어.
What day 무슨 요일	Q **What day** is it? 무슨 요일이니? A It's **Saturday**. 토요일이야.
What grade 몇 학년	Q **What grade** are you in? 너는 몇 학년이니? A I'm in **fourth grade**. 나는 4학년이야.
Whose + 명사 누구의 ~	Q **Whose socks** are those? 저것들은 누구의 양말이니? A They are **Ted's**. 그것들은 테드의 것이야.

+ 「How + 형용사/부사」 의문문 +

How old 몇 살	Q **How old** are you? 너는 몇 살이니? A I'm **11 years old**. 나는 11살이야.
How tall 얼마나 키가 큰	Q **How tall** is your sister? 네 언니는 키가 얼마나 크니? A She's **160 cm tall**. 그녀는 160cm야.
How often 얼마나 자주	Q **How often** do you exercise? 너는 얼마나 자주 운동하니? A I exercise **twice a week**. 나는 일주일에 두 번 운동해.
How many **+ 복수 명사** 얼마나 많은 (수)	Q **How many pens** do you need? 너는 펜이 몇 개 필요하니? A I need **two**. 나는 두 개가 필요해.
How much **+ 셀 수 없는 명사** 얼마나 많은 (양)	Q **How much milk** do you drink? 너는 우유를 얼마나 많이 마시니? A I drink **a glass of milk**. 나는 우유 한 잔을 마셔.

> 횟수를 묻는 질문에는 'once/twice/~ times+ a day/a week/a month/ a year'로 답해요.

✔체크 How much는 '얼마'라는 뜻으로 가격을 물을 때도 쓰여요.
Q: **How much** is it? (그것은 얼마인가요?)
A: It's **30 dollars**. (30달러입니다.)

A 다음 ( ) 안에서 알맞은 것을 고르세요.

❶ Q What ((time)/ day) does the concert begin?

A It begins at 6 p.m.

❷ Q How much (is this scarf / this scarf is)?

A It's 30 dollars.

❸ Q (What / How) tall is she?

A She's 148 cm tall.

❹ Q How (many / much) cars are there?

A There are eight cars.

❺ Q How (many / much) money do you need?

A I need 20 dollars.

❻ Q (What / How) often do they swim?

A They swim once a week.

B 다음 보기에서 알맞은 말을 골라 대화를 완성하세요.

| 보기 | how | what | whose | day |
| | much | many | grade | photos |

❶ Q ___What___ ___day___ is it?　　　　A It's Tuesday.

❷ Q _____ _____ is the notebook?　A It's 4 dollars.

❸ Q _____ _____ are they in?　　　A They're in first grade.

❹ Q _____ _____ eggs did you eat?　A I ate two.

❺ Q _____ _____ are these?　　　　A They are mine.

C 우리말에 맞게 다음 빈칸에 알맞은 말을 쓰세요.

❶ 그 개는 몇 살이니?

→ ___How___ ___old___ is the dog?

❷ 너는 얼마나 많은 책을 읽었니?

→ _____ _____ books did you read?

❸ 너는 버터가 얼마나 필요하니?

→ _____ _____ butter do you need?

❹ 그 기차는 몇 시에 출발하니?

→ _____ _____ does the train leave?

❺ 그들은 얼마나 자주 외식을 하니?

→ _____ _____ do they eat out?

D 다음 밑줄 친 부분을 바르게 고쳐 쓰세요.

❶ Q <u>Whose grade</u> is your brother in? → ___What grade___

A He's in sixth grade.

❷ Q <u>What time</u> is it today? → _____

A It's Friday.

❸ Q <u>What cellphone</u> is this? → _____

A It's Pam's.

❹ Q <u>How much</u> children does Betty have? → _____

A She has three children.

❺ Q <u>How often</u> is the basketball player? → _____

A She's 183 cm tall.

A 우리말에 맞게 주어진 단어를 바르게 배열하세요.

❶ 이 쿠키들은 얼마예요? (these / much / cookies / how / are)

→ How much are these cookies?

❷ 오늘 무슨 요일이니? (day / today / it / is / what)

→ _____

❸ 그 빌딩은 얼마나 높은가요? (the building / is / tall / how)

→ _____

❹ 그 학생은 몇 학년이니? (grade / in / the student / what / is)

→ _____

❺ 그녀는 얼마나 자주 운동했니? (did / often / exercise / she / how)

→ _____

B 우리말에 맞게 주어진 단어를 이용하여 문장을 완성하세요.
(필요하면 단어를 추가하거나 단어의 형태를 바꾸세요.)

❶ Jack(잭)은 몇 시에 점심을 먹니? (lunch, time, eat, do)

→ What time does Jack eat lunch?

❷ 네 고양이는 몇 살이니? (old, be, cat)

→ _____

❸ 너는 얼마나 자주 TV를 보니? (do, often, watch, TV)

→ _____

❹ 이것은 누구의 아이디어였니? (be, idea, this)

→ _____

❺ 그는 얼마나 많은 주스를 마시니? (juice, drink, do)

→ _____

[01~02] 다음 빈칸에 들어갈 말로 알맞은 것을 고르세요.

01
> Q _____ is the cafe?
> A It's on the second floor.

① What ② Where
③ Who ④ When
⑤ How

02
> Q _____ is this peach?
> A It is 3 dollars.

① How much ② What time
③ What grade ④ How old
⑤ How tall

[03~05] 다음 ( ) 안에서 알맞은 것을 고르세요.

03 Where (is / are) my slippers?

내 실내화는 어디에 있니?

04 What (did / were) you buy at the store?

너는 그 가게에서 무엇을 샀니?

05 (What / Whose) desk is this?

이것은 누구의 책상이니?

06 다음 빈칸에 공통으로 들어갈 말로 알맞은 것을 고르세요.

· _____ did he say?
· _____ day is it today?

① Where ② How
③ Who ④ What
⑤ When

[07~09] 다음 보기에서 알맞은 말을 골라 대화를 완성하세요.

<보기> why   who   how

07
> Q _____ many classes do you have today?
> A I have five classes.

08
> Q _____ was your favorite teacher?
> A It was Ms. Harrison.

09
> Q _____ did you buy this book?
> A I bought it because I liked the story.

[10~11] 다음 밑줄 친 부분이 잘못된 것을 고르세요.

10　① Who <u>is</u> in the room?

　② How <u>was</u> your holiday?

　③ What <u>is</u> the problem?

　④ Where <u>was</u> your glasses?

　⑤ When <u>is</u> your mom's birthday?

11　① <u>Whose cap</u> is this?

　② <u>What tall</u> is the tree?

　③ <u>How often</u> does she swim?

　④ <u>What time</u> do you get up?

　⑤ <u>How much</u> money do you have?

[12~14] 다음 보기에서 주어진 질문에 대한 답으로 알맞은 것을 골라 그 기호를 쓰세요.

> <보기>　a. It starts at 5 o'clock.
> 　　　　b. It was very difficult.
> 　　　　c. I saw him at the park.

12　How was the test?

➡ _____

13　What time does the concert start?

➡ _____

14　Where did you see Jamie yesterday?

➡ _____

[15~17] 우리말에 맞게 주어진 단어를 이용하여 문장을 완성하세요.

15　너는 시간이 얼마나 필요하니? (need)

➡ _____ _____ time do you _____ ?

16　너는 언제 그녀를 만났니? (meet)

➡ _____ _____ you _____ her?

17　Kelly(켈리)와 Bob(밥)은 어제 어디에 있었니? (be)

➡ _____ _____ Kelly and Bob yesterday?

[18~20] 다음 밑줄 친 부분을 바르게 고쳐 쓰세요.

18　<u>How much</u> people are in the room?

방에 얼마나 많은 사람들이 있니?

➡ _____

19　Who <u>is</u> the winner last year?

작년 우승자는 누구였니?

➡ _____

20　Where does Jeremy <u>lives</u> now?

제레미는 지금 어디에 사니?

➡ _____

REVIEW

A 다음 (   ) 안에서 알맞은 것을 고르세요.

❶ Where (**is** / does) my sweater?

❷ You may (go / going) now.

❸ (Can / Do) your dog jump high?

❹ What (is / are) your favorite subject?

❺ I can (remember / remembers) his phone number.

B 우리말에 맞게 보기의 단어를 이용하여 문장을 완성하세요.
(필요하면 단어의 형태를 바꾸세요.)

보기	can	may	not	how	where
	do	win	solve	take	often

❶ I ___can't___ ___solve___ this problem. 나는 이 문제를 풀 수 없다.

❷ _____ _____ you _____ this problem?
너는 어떻게 이 문제를 풀었니?

❸ _____ _____ you _____ this photo?
너는 어디에서 이 사진을 찍었니?

❹ You _____ _____ _____ pictures here.
당신은 여기서 사진을 찍으면 안 됩니다.

❺ _____ your team _____ this game?
너희 팀은 이 경기에서 이길 수 있니?

❻ _____ _____ _____ your team _____
a game? 너희 팀은 얼마나 자주 경기에서 이기니?

6

여러 가지 문장

학습 목표

UNIT 1 　명령문과 제안문　**Be** careful.

명령문은 상대방에게 '~해라' 또는 '~하지 마라'라고 지시하거나 명령할 때 사용해요.
제안문은 상대방에게 '~하자' 또는 '~하지 말자'라고 제안하거나 권유할 때 사용해요.

+ 긍정 명령문과 부정 명령문 +

> am, are, is의 동사원형은 be이므로,
> Be로 시작하는 명령문이 돼요.

	일반동사가 있는 명령문	be동사가 있는 명령문
긍정 ~해라	동사원형 ~. **You stand** up. → **Stand** up. 일어나라.	Be ~. **You are** quiet. → **Be** quiet. 조용히 해라.
부정 ~하지 마라	Don't + 동사원형 ~. **Don't run** in the library. 도서관에서 뛰지 마라.	Don't be ~. **Don't be** rude. 무례하게 굴지 마라.

> Be[be] 다음에는
> 주로 형용사가 오지만,
> 명사가 쓰이기도 해요.

✓체크　명령문의 앞이나 뒤에 please를 붙이면 좀 더 부드러운 표현이 돼요.
　　　Please be careful. / Be careful, **please**. (조심해주세요.)

✓체크　부정 명령문에서 Don't 대신에 Never를 쓰면 부정의 의미를 강조하여 '절대 ~하지 마라'라는 의미로 쓰여요.
　　　Never be late. (절대 늦지 마라.)

+ 긍정 제안문과 부정 제안문 +

	일반동사가 있는 제안문	be동사가 있는 제안문
긍정 ~하자	Let's + 동사원형 ~. **Let's play** games. 게임을 하자. **Let's go** home. 집에 가자.	Let's be ~. **Let's be** friends. 친구가 되자. **Let's be** quiet. 조용히 하자.
부정 ~하지 말자	Let's not + 동사원형 ~. **Let's not cross** the street here. 여기서 길을 건너지 말자.	Let's not be ~. **Let's not be** angry. 화내지 말자.

✓체크　제안문에 대한 대답은 다음과 같이 할 수 있어요.
　　　긍정의 대답: Okay. / Sure. (그래, 그러자.)
　　　부정의 대답: Sorry, but I can't. (미안하지만, 안 돼.)

A   다음 (   ) 안에서 알맞은 것을 고르세요.

❶ Don't (is / (be)) angry.   화내지 마라.

❷ (Bring / Brings) your bag.   네 가방을 가져와라.

❸ (Open / Opens) your textbook.   교과서를 펴라.

❹ (Are / Be) careful on the stairs.   계단에서 조심해라.

❺ Please (come / coming) early.   일찍 와주세요.

❻ Don't (crossed / cross) the street.   길을 건너지 마라.

❼ Please don't (forget / forgets) my name.   제 이름을 잊지 말아 주세요.

❽ (Don't / Doesn't) fight with your brother.   네 남동생과 싸우지 마라.

B   다음 (   ) 안에서 알맞은 것을 고르세요.

❶ (Let / (Let's)) leave early.   일찍 출발하자.

❷ Let's (being / be) honest.   정직해지자.

❸ Let's (ride / rides) our bikes.   자전거를 타자.

❹ Let's not (buying / buy) it.   그것을 사지 말자.

❺ Let's (be / are) good friends.   좋은 친구가 되자.

❻ Let's (have / has) lunch together.   점심 같이 먹자.

❼ Let's (go not / not go) out tonight.   오늘밤에 외출하지 말자.

❽ (Let's not / Not let's) swim in the sea.   바다에서 수영하지 말자.

C 우리말에 맞게 보기에서 알맞은 것을 골라 문장을 완성하세요.

보기
| do | don't | let's | let's not |
| be | play | wear | eat | meet |

❶ 안전벨트를 매라.

→ ___Wear___ your seat belt.

❷ 밤에 피아노를 치지 마라.

→ _____ _____ the piano at night.

❸ 버스 정류장에서 만나자.

→ _____ _____ at the bus stop.

❹ 슬퍼하지 마라.

→ _____ _____ sad.

❺ 매운 음식을 먹지 말자.

→ _____ _____ _____ spicy food.

D 다음 밑줄 친 부분을 바르게 고쳐 쓰세요.

❶ <u>Doesn't</u> watch TV tonight.

오늘밤에는 TV를 보지 마라.

→ ___Don't___

❷ Let's <u>eats</u> some cake.

케이크를 좀 먹자.

→ _____

❸ <u>Being</u> quiet in the classroom.

교실에서 조용히 해라.

→ _____

❹ Let's <u>play not</u> computer games.

컴퓨터 게임을 하지 말자.

→ _____

❺ Talk <u>don't</u> loudly.

큰 소리로 이야기하지 마라.

→ _____

A 우리말에 맞게 주어진 단어를 바르게 배열하세요.

❶ 기차를 타지 말자. (not / take / let's / a train)

→ Let's not take a train.

❷ 치즈를 좀 사자. (some / let's / buy / cheese)

→ _____

❸ 네 자리로 돌아가라. (your / return to / seat)

→ _____

❹ TV를 켜자. (turn on / the TV / let's)

→ _____

❺ 거리에 쓰레기를 버리지 마라. (the trash / throw / don't)

→ _____ on the street.

B 우리말에 맞게 주어진 단어를 이용하여 문장을 완성하세요.
(필요하면 단어를 추가하세요.)

❶ 동물들을 만지지 마세요. (touch, the animals)

→ Please don't touch the animals   .

❷ 이 우산을 가져가라. (take, umbrella)

→ _____

❸ 그것에 대해 얘기하지 말자. (it, talk about)

→ _____

❹ 학교에 늦지 마라. (late, be)

→ _____ for school.

❺ 저녁으로 피자를 시키자. (a pizza, order)

→ _____ for dinner.

How tall she is!

감탄문은 '정말 ~하구나!'라고 놀라움이나 기쁨 등의 감정을 나타낼 때 사용해요.
보통 What이나 How를 써서 나타내요. What 감탄문은 명사가 포함된 어구를 강조하고,
How 감탄문은 형용사나 부사를 강조해요.

+ What으로 시작하는 감탄문 +

What + (a/an) + 형용사 + 명사 (+ 주어 + 동사)! 정말 ~한 …구나!	He is a ~~really~~ cute baby. → What **a cute baby** he is! 그는 정말 귀여운 아기구나! What **an old house** (it is)! (그것은) 정말 오래된 집이구나!

✓ **체크**   셀 수 없는 명사와 복수 명사 앞에는 a/an을 쓰지 않아요.
What **a** long **hair** she has! (X)
What long **hair** she has! (O) (그녀의 머리는 정말 길구나!)
What **a** cute **puppies** they are! (X)
What cute **puppies** they are! (O) (정말 귀여운 강아지들이구나!)

> 감탄문의 끝에 오는 주어와 동사는 종종 생략하기도 해요.

✓ **체크**   모음(a, e, i, o, u) 발음으로 시작하는 형용사 앞에는 an을 써요.
What **an interesting** movie it is! (그것은 정말 재미있는 영화구나!)

+ How로 시작하는 감탄문 +

How + 형용사 (+ 주어 + 동사)! 정말 ~하구나!	She is ~~very~~ tall. → How **tall** she is! 그녀는 정말 키가 크구나! How **sunny** (it is)! 정말 화창하구나!
How + 부사 (+ 주어 + 동사)! 정말 ~하구나!	He walks ~~very~~ slowly. → How **slowly** he walks! 그는 정말 느리게 걷는구나! How **fast** she runs! 그녀는 정말 빨리 달리는구나!

✓ **체크**   감탄문에서 주어와 동사의 순서를 바꾸지 않도록 주의해야 해요.
How tall **is she**! (X)   How tall **she is**! (O)

✓ **체크**   형용사가 뒤에 오는 명사를 꾸며주면 What, 명사가 없으면 How를 써요.
What a **big house** that is! (저것은 정말 큰 집이구나!)
How **big** that house is! (저 집은 정말 크구나!)

A 다음 ( ) 안에서 알맞은 것을 고르세요.

❶ (What / How) a big bear it is! 　　　그것은 정말 큰 곰이구나!

❷ What a great idea (is it / it is)! 　　　그것은 정말 좋은 생각이구나!

❸ How pretty you (are / be)! 　　　너는 정말 예쁘구나!

❹ What (a smart / smart) girl she is! 　　　그녀는 정말 똑똑한 여자아이구나!

❺ (What / How) expensive this is! 　　　이것은 정말 비싸구나!

❻ (What / How) long hair she has! 　　　그녀의 머리는 정말 길구나!

❼ What (high / a high) building! 　　　정말 높은 건물이구나!

❽ (What / How) slowly the snails move! 　　　달팽이들은 정말 천천히 움직이는구나!

B 우리말에 맞게 주어진 단어를 이용하여 빈칸에 알맞은 말을 쓰세요.

❶ 그것은 정말 깨끗한 방이구나! (room, clean)

→ ____What____ ____a____ ____clean____ ____room____ it is!

❷ 너는 정말 게으르구나! (lazy)

→ _____ _____ you are!

❸ 그것은 정말 재미있는 게임이구나! (fun, game)

→ _____ _____ _____ _____ it is!

❹ 그 새는 정말 아름답게 나는구나! (beautifully)

→ _____ _____ the bird flies!

❺ 그것은 정말 귀여운 토끼구나! (cute, rabbit)

→ _____ _____ _____ _____ it is!

C 다음 밑줄 친 부분을 바르게 고쳐 쓰세요.

① How a beautiful day it is! → _____What_____

② What expensive painting it is! → _____

③ What a bright moon is it! → _____

④ How a handsome the actor is! → _____

⑤ What funny the story is! → _____

⑥ How high jumps Jack! → _____

D 다음 문장을 감탄문으로 바꿀 때, 빈칸에 들어갈 알맞은 말을 쓰세요.

① This is a very big Christmas tree.

→ _____What_____ a big Christmas tree this is!

② It is a very interesting movie.

→ What _____ _____ movie it is!

③ The bed is very comfortable.

→ How _____ the bed is!

④ He is a very nice son.

→ What a nice son _____ _____ !

⑤ She is very friendly.

→ _____ friendly she is!

⑥ The boy swims well.

→ _____ _____ the boy swims!

A 우리말에 맞게 주어진 단어를 바르게 배열하세요.

① 정말 바쁜 날이구나! (a / day / busy / what)

→ _What a busy day!_

② 그녀는 정말 빨리 달리는구나! (fast / she / how / runs)

→ _____

③ 그것은 정말 오래된 건물이구나! (is / what / old / it / building / an)

→ _____

④ 그 가방은 정말 싸구나! (cheap / the bag / is / how)

→ _____

⑤ 그것은 정말 맛있는 피자구나! (it / what / a / pizza / is / delicious)

→ _____

B 우리말에 맞게 주어진 단어를 이용하여 문장을 완성하세요.
(필요하면 단어를 추가하거나 형태를 바꾸세요.)

① 그것은 정말 귀여운 강아지구나! (cute puppy, it, is)

→ _What a cute puppy it is!_

② 그는 정말 힘이 세구나! (strong, is, he)

→ _____

③ 이것들은 정말 따뜻한 장갑이구나! (warm gloves, these, are)

→ _____

④ 그녀는 정말 큰 소리로 말하는구나! (loudly, speaks)

→ _____

⑤ 저것은 정말 긴 다리구나! (is, long bridge, that)

→ _____

[01~02] 다음 빈칸에 들어갈 말로 알맞은 것을 고르세요.

01

_____ quiet in the museum.

① Do   ② Is
③ Are   ④ Be
⑤ Does

02

_____ a smart student she is!

① How   ② Be
③ You   ④ Do
⑤ What

[03~06] 다음 (　) 안에서 알맞은 것을 고르세요.

03 (Are / Be) nice to your friends.

04 Let's (solve / solves) the problem first.

05 (What / How) cold it is!

06 Don't (cross / crossing) the street at the red light.

[07~08] 다음 빈칸에 공통으로 들어갈 말로 알맞은 것을 고르세요.

07

· Don't _____ afraid.
· _____ a good doctor.

① not[Not]   ② do[Do]
③ be[Be]   ④ are[Are]
⑤ being[Being]

08

· _____ a brave girl she is!
· _____ an expensive car this is!

① Be   ② It
③ How   ④ What
⑤ Let's

[09~10] 우리말에 맞게 주어진 단어를 이용하여 빈칸에 알맞은 말을 쓰세요.

09 같이 축구 하자. (play)

→ _____ _____ soccer together.

10 그 기차는 정말 빠르게 가는구나! (fast)

→ _____ _____ the train goes!

CHAPTER 6

[11~12] 다음 빈칸에 들어갈 말이 바르게 짝지어진 것을 고르세요.

11

> · _____ the box.
> · _____ clean this city is!

① Not open - How

② Don't open - How

③ Opens - What

④ Don't open - What

⑤ Do open - How

12

> · Please _____ off your shoes.
> · What _____ big dog!

① takes - a ② take - a

③ taking - an ④ take - an

⑤ taking - a

[13~14] 다음 중 잘못된 문장을 고르세요.

13 ① Open the door.

  ② Let's meet at 1 o'clock.

  ③ Be put on your coat.

  ④ Let's not watch a movie.

  ⑤ Don't forget your umbrella.

14 ① What lazy the boy is!

  ② What a good friend you are!

  ③ How small the bug is!

  ④ What a nice hotel this is!

  ⑤ How large the park is!

[15~18] 다음 문장을 괄호 안의 지시대로 바꿔 쓰세요.

15 You brush your teeth every day.
（긍정 명령문）

→ _____ every day.

16 We walk home. (부정 제안문)

→ _____

17 Your sister dances really well.
（How 감탄문）

→ _____

18 You waste water. (부정 명령문)

→ _____

[19~20] 다음 문장에서 틀린 부분을 찾아 바르게 고쳐 쓰세요.

19 Let buy a present for Emily.
에밀리를 위한 선물을 사자.

_____ → _____

20 Not put the money on the table.
탁자 위에 돈을 놓지 마라.

_____ → _____

REVIEW

A 다음 ( ) 안에서 알맞은 것을 고르세요.

❶ ((Don't) / Not) be late again.

❷ (What / How) sad the movie is!

❸ (Listen / Listening) to me carefully.

❹ Where (do / are) they play baseball?

❺ Let's (not worry / worry not) about it.

❻ (What / When) does your brother go to bed?

B 우리말에 맞게 보기의 단어를 이용하여 문장을 완성하세요.

보기	what	how	whose	when	a	take	day
	hot	rainy	small	it	is	does	

❶ ___What___ ___is___ her name? 그녀의 이름은 무엇이니?

❷ _____ shoes are these? 이것들은 누구의 신발이니?

❸ _____ _____ the cat is! 그 고양이는 정말 작구나!

❹ _____ _____ the concert start? 그 콘서트는 언제 시작하니?

❺ _____ _____ _____ _____ it is!
정말 더운 날이구나!

❻ Q _____ _____ the weather today? 오늘 날씨는 어때?

A _____ _____ _____ . _____ your
umbrella. 비가 와. 네 우산을 가져가.

CHAPTER 7

문장 형식

학습 목표

UNIT 1 My friend has a dog.

Step 1 문장을 이루는 요소에는 어떤 것들이 있을까요?

문장을 이루는 요소에는 주어, 동사, 목적어, 보어 등이 있어요.
이때, 주어와 목적어 자리에는 명사나 대명사가 올 수 있고, 보어 자리에는 명사나 형용사가 올 수 있어요.
동사는 크게 be동사와 일반동사로 나눌 수 있어요.

✛ 문장의 기본 요소 ✛

주어 문장의 주인공 (~은/는/이/가)	명사	My friend has a dog. 내 친구는 개가 있다.
	대명사 (주격)	I went to bed at 9. 나는 어젯밤 9시에 잤다. This is my plan. 이것이 내 계획이야.
동사 주어의 행동, 상태 (~이다/~하다)	be동사	Alex is a teacher. 알렉스는 선생님이다.
	일반동사	My sister and I swim every day. 내 여동생과 나는 매일 수영한다.
목적어 행동의 대상 (~을/를)	명사	She eats salad for lunch. 그녀는 점심으로 샐러드를 먹는다.
	대명사 (목적격)	We know him. 우리는 그를 안다. I want this. 저는 이것을 원해요.
보어 주어를 보충 설명 (~인, ~하는)	명사	Sara and Mina are friends. 사라와 미나는 친구이다.
	형용사	The movie was interesting. 그 영화는 재미있었다.

✔ 체크 주어, 목적어, 보어가 명사일 때, 명사 앞에는 명사를 꾸며주는 형용사나 소유격 대명사가 오기도 해요.

· 형용사+명사: She bought a **new** cellphone.　　　**That** bag is mine.
　　　　　　　　　　　　目적어　　　　　　　　　　주어

· 소유격 대명사+명사: **My** friend has a dog.　　　It is **her** bag.
　　　　　　　　　　　　주어　　　　　　　　　　　보어

A 다음 ( ) 안에서 알맞은 주어를 고르세요.

❶ (This / Buy) is my computer.

❷ (My sister / Fun) likes that singer.

❸ (Kind / His room) is always clean.

❹ (Sugar / When) is sweet.

❺ (Early / The games) are exciting.

❻ (She / Her) plays the violin.

❼ (Him / Alice) knows my sister.

B 다음 ( ) 안에서 목적어 자리에 올 수 있는 것을 고른 다음, 빈칸에 쓰세요.

❶ (busy / her / visit / fast)

→ We know _____ her _____ .

❷ (in / think / bag / good)

→ I lost my _____ .

❸ (very / flowers / lazy / happy)

→ She bought some _____ .

❹ (milk / carefully / is / sad)

→ Andy drinks _____ every day.

❺ (sweet / always / like / eyes)

→ Erin has blue _____ .

❻ (read / what / take / them)

→ He wears _____ every day.

C 다음 ( ) 안에서 보어 자리에 올 수 있는 것을 고른 다음, 빈칸에 쓰세요.

❶ (move / see / (soft) / yesterday)

→ His voice is ___soft___ .

❷ (teach / teacher / him / easily)

→ Jane is my _____ .

❸ (happily / under / tell / delicious)

→ This pizza is _____ .

❹ (drink / well / model / are)

→ He was a famous _____ .

❺ (perfect / feel / do / quietly)

→ Your plan is _____ .

D 다음 보기와 같이 밑줄 친 부분이 괄호 안에 바르게 설명되었으면 O,
잘못 설명되었으면 X에 동그라미 하세요.

| 보기 | This picture is <u>beautiful</u>. (보어) | (O, X) |

❶ I read <u>it</u> every day. (보어)　　　　　　　　　(O, X)

❷ It <u>is</u> sunny today. (동사)　　　　　　　　　　(O, X)

❸ I finished <u>my homework</u>. (보어)　　　　　　　(O, X)

❹ Mr. Brown <u>teaches</u> English. (동사)　　　　　　(O, X)

❺ She wants <u>a new backpack</u>. (보어)　　　　　　(O, X)

❻ <u>My favorite subject</u> is math. (주어)　　　　　　(O, X)

❼ He drinks <u>a cup of coffee</u>. (목적어)　　　　　　(O, X)

❽ The market isn't <u>far</u> from here. (목적어)　　　　(O, X)

❾ <u>Dana and I</u> saw a movie yesterday. (주어)　　　(O, X)

Step 3 배운 내용을 문장에 적용해요.

A 다음 밑줄 친 부분이 주어, 동사, 보어, 목적어 중 무엇인지 빈칸에 쓰세요.

보기	She / looks / happy. 그녀는 행복해 보인다.
→	주어 동사 보어

❶ I   woke up at 7 a.m. 나는 아침 7시에 일어났다.

→ _____ _____

❷ He   cut   the cake with a knife. 그는 칼로 케이크를 잘랐다.

→ _____ _____ _____

❸ Sam   is   hungry . 샘은 배고프다.

→ _____ _____ _____

❹ These shoes   are   Jake's . 이 신발은 제이크의 것이다.

→ _____ _____ _____

B 우리말에 맞게 주어진 단어를 이용하여 문장을 완성하세요.
(필요하면 단어를 추가하거나 형태를 바꾸세요.)

❶ 그는 매일 컴퓨터 게임을 한다. (computer games, play)

→ He plays computer games _____ every day.

❷ 그 아이들은 영화를 보았다. (watch, the children, a movie)

→ _____

❸ 그들은 인기 있는 가수이다. (be, popular, singers)

→ _____

❹ 저 가방은 비싸지 않았다. (be, that bag, expensive, not)

→ _____

UNIT 2 The pizza **smells good**.

Step 1 문장의 형식이란 무엇일까요?

앞서 문장을 이루는 요소에는 주어, 동사, 목적어, 보어 등이 있다는 것을 배웠어요.
문장을 이루는 요소에 따라 1형식, 2형식, 3형식 문장 등으로 나눌 수 있어요.
1형식 문장: '주어+동사'로 완성되는 문장
2형식 문장: 주어의 특징이나 상태를 보충 설명해 주는 '보어'가 꼭 필요한 문장
3형식 문장: 동사의 대상이 되는 '목적어'가 꼭 필요한 문장

+ 1형식 문장 +

주어 + 동사	The star **shines**. 별이 빛난다. He **laughed** <u>loudly</u>. 그는 크게 웃었다. 　　　　　　부사 Josh **went** <u>to school</u>. 조쉬는 학교에 갔다. 　　　　　　　부사구

> 부사(구)는 꾸며주는 말로 문장의 기본 요소에는 포함되지 않아요.

+ 2형식 문장 +

주어 + be동사 + 보어	명사 보어	He **is** my brother. 그는 내 남동생이야.
	형용사 보어	Our dog **is** cute. 우리 개는 귀여워.
주어 + 감각동사 + 보어	형용사 보어	She **looks** kind. 그녀는 친절해 보여. This pizza **smells** good. 이 피자는 좋은 냄새가 나.

✔체크 감각동사는 보고, 듣고, 느끼는 등의 감각을 나타내는 동사로, 2형식 문장에 쓰여요.
look(~해 보이다), **smell**(~한 냄새가 나다), **sound**(~하게 들리다), **taste**(~한 맛이 나다),
feel(~한 기분이 들다, ~하게 느껴지다)

✔체크 감각동사의 보어를 부사처럼 '~하게'로 해석하는 것이 자연스럽더라도, 보어 자리에는 반드시 형용사가 와야 해요.
She looks **happily**. (X) She looks **happy**. (O) (그녀는 행복하게 보인다.)

+ 3형식 문장 +

주어 + 동사 + 목적어	명사 보어	She **has** long hair. 그녀는 긴 머리카락을 가지고 있다.
	대명사 목적어 (목적격)	Toby **likes** her. 토비는 그녀를 좋아한다.

A 다음 문장에서 주어에 O, 동사에 밑줄을 그으세요.

❶ (Airplanes) are flying in the sky. 　　　비행기들이 하늘을 날고 있다.

❷ Rabbits like carrots. 　　　토끼들은 당근을 좋아한다.

❸ The jacket looks good. 　　　그 재킷은 좋아 보인다.

❹ Kelly and I went to school. 　　　켈리와 나는 학교에 갔다.

B 다음 밑줄 친 주어를 설명할 수 있는 말을 보기에서 골라 문장을 완성하세요.

| 보기 | happy 　 strange 　 tall 　 difficult 　 a magician |

❶ <u>My sister</u> is ___tall___ . 　　　내 여동생은 키가 크다.

❷ <u>The story</u> sounds _____ . 　　　그 이야기는 이상하게 들린다.

❸ <u>The children</u> look _____ . 　　　그 아이들은 행복해 보인다.

❹ <u>My aunt</u> is _____ . 　　　나의 이모는 마술사이다.

❺ <u>The test</u> wasn't _____ . 　　　그 시험은 어렵지 않았다.

C 다음 주어진 말을 알맞은 것과 연결하여 문장을 완성하세요.

❶ I have 　• 　　　• dinner.

❷ We are eating 　• 　　　• a headache.

❸ The boxes are 　• 　　　• angry.

❹ The kids are reading 　• 　　　• heavy.

❺ Her voice sounds 　• 　　　• at the station.

❻ The train arrived 　• 　　　• books.

D 다음 ( ) 안에서 알맞은 것을 고르세요.

❶ Sena and I saw (happy / (a movie)).

❷ We didn't take (busy / the bus) today.

❸ Andy really likes (sour / strawberries).

❹ The socks (are / find) dirty.

E 다음 밑줄 친 부분을 바르게 고쳐 쓰세요.

❶ This scarf feels <u>smoothly</u>. → _____smooth_____

❷ My grandma looks <u>happily</u>. → _____

❸ My brother <u>the cup broke</u>. → _____

❹ I saw <u>their</u> at the park. → _____

❺ The steak tastes <u>well</u>. → _____

F 다음 문장에 해당하는 것을 보기에서 골라 빈칸에 그 숫자를 쓰세요.

보기	① 주어+동사　② 주어+동사+보어　③ 주어+동사+목적어

❶ The moon shines at night.　　　____①____

❷ We made a Christmas tree.　　　_____

❸ The girls are students.　　　_____

❹ The soup smells good.　　　_____

❺ Mark wore a blue cap.　　　_____

❻ The story is not true.　　　_____

❼ She went to her room.　　　_____

A 우리말에 맞게 주어진 단어를 바르게 배열하세요.

❶ 우리는 좋은 소식을 들었다. (heard / the good news / we)

→   We heard the good news.

❷ 서울은 큰 도시이다. (Seoul / is / a big city)

→ _____

❸ 그 정원은 아름다워 보였다. (looked / the garden / beautiful)

→ _____

❹ Emma(엠마)는 그녀의 머리 모양을 바꿨다. (her / Emma / hairstyle / changed)

→ _____

❺ 네 스웨터는 매우 부드럽게 느껴진다. (soft / sweater / feels / very / your)

→ _____

B 우리말에 맞게 주어진 단어를 이용하여 문장을 완성하세요.
(필요하면 단어를 추가하거나 형태를 바꾸세요.)

❶ 그 바나나들은 달콤한 냄새가 난다. (smell, the bananas, sweet, sweetly)

→   The bananas smell sweet.

❷ 내 남동생은 매일 아침 책을 읽는다. (brother, read, a book)

→ _____ every morning.

❸ 그의 목소리가 슬프게 들렸다. (sad, sadly, voice, sound)

→ _____

❹ Brian(브라이언)과 나는 지하철로 출근한다. (to work, go, and)

→ _____ by subway.

❺ 그것은 내가 가장 좋아하는 노래이다. (favorite song, be)

→ _____

CHAPTER EXERCISE

정답과 해설 p.24

[01~03] 다음 밑줄 친 부분에 해당하는 것을 고르세요.

01 Ann had a sandwich for lunch.

☐ 목적어   ☐ 보어

02 The little girl asked many questions.

☐ 주어   ☐ 동사

03 The orange juice is very sweet.

☐ 목적어   ☐ 보어

04 다음 빈칸에 들어갈 말로 알맞지 않은 것을 고르세요.

> Amy looks _____.

① happy   ② kind
③ angry   ④ nice
⑤ greatly

[05~06] 다음 ( ) 안에서 알맞은 것을 고르세요.

05 This kiwi tastes (sour / sourly).

06 The children made (happy / a sandcastle) at the beach.

07 다음 밑줄 친 부분이 잘못된 것을 고르세요.

① Luke is an artist.
② He sold his camera.
③ We don't know them.
④ The milk smells badly.
⑤ I dried my hair last night.

[08~09] 다음 주어진 문장의 형식과 같은 것을 고르세요.

08
> Joseph swims every evening.

① I feel very happy.
② He teaches English.
③ She threw the ball.
④ The sun rises in the east.
⑤ He eats an apple for breakfast.

09
> My dog is very smart.

① I exercised yesterday.
② He bought some flowers.
③ Steve and Jenny are kind.
④ She dropped a pen.
⑤ He doesn't like baseball.

[10~12] 우리말에 맞게 주어진 단어를 이용하여 문장을 완성하세요.

10 이 케이크는 맛있어 보인다.
(look, delicious)

→ This cake _____.

11 몇몇 학생들이 무대 위에서 춤을 췄다.
(some students, dance)

→ _____
on the stage.

12 나는 도서관에서 책을 몇 권 빌렸다.
(some books, borrow)

→ I _____
from the library.

[13~14] 다음 밑줄 친 부분이 문장에서 하는 역할이 <u>다른</u> 것을 고르세요.

13 ① I feel sleepy.
② It is a tall building.
③ He has two sons.
④ This chair is too high.
⑤ You look tired.

14 ① The player hurt his leg.
② The baby cried all night.
③ She bought new glasses.
④ She washed her hands.
⑤ Tom cooks dinner.

15 다음 우리말을 영어로 바르게 옮긴 것을 고르세요.

그 노래는 슬프게 들린다.

① The song sad sounds.
② The song sounds sad.
③ The song sounds sadly.
④ The song sounded sadly.
⑤ The song sounds sadness.

[16~17] 다음 ( ) 안에서 알맞은 것을 고르세요.

16 The bread (smells / has) good.

17 I (like / sound) its color.

[18~20] 다음 밑줄 친 부분을 바르게 고쳐 쓰세요.

18 I met his two days ago.

→ _____

19 Your neighbors look nicely.

→ _____

20 The wind was very strongly.

→ _____

A 다음 ( ) 안에서 알맞은 것을 고르세요.

❶ My hair feels ((soft) / softly).

❷ (How / What) fast he walks!

❸ Let's (do not / not do) that.

❹ Nate and I ate (sleepy / hamburgers).

❺ (Tennis / Funny) is her favorite sport.

❻ (Be / Do) quiet in the library.

B 우리말에 맞게 보기의 단어를 이용하여 문장을 완성하세요.
(필요하면 단어의 형태를 바꾸세요.)

보기	a	an	what	how	the kitchen	look
	clean	easy	easily	let's	question	

❶ The question _____looks_____ _____easy_____ .
그 문제는 쉬워 보인다.

❷ _____ _____ _____ _____ it is!
그것은 정말 쉬운 문제구나!

❸ Jack _____ _____ _____ .
잭은 부엌을 청소했다.

❹ _____ _____ her room is!
그녀의 방은 정말 깨끗하구나!

❺ _____ _____ _____ _____ .
부엌을 청소하자.

왓츠 그래여!

FINAL TEST 1회

01 다음 중 동사원형과 동사의 -ing형이 <u>잘못</u> 짝지어진 것을 고르세요.

① eat - eating
② run - running
③ play - playing
④ watch - watching
⑤ dance - danceing

02 다음 밑줄 친 부분이 <u>잘못된</u> 것을 고르세요.

① Kate <u>is watching</u> TV.
② We <u>are buying</u> bread.
③ Alice <u>is walking</u> to school.
④ Your friend <u>aren't studying</u>.
⑤ The man <u>isn't drinking</u> coffee.

03 다음 빈칸에 들어갈 말이 바르게 짝지어진 것을 고르세요.

> · I will _____ in Japan next week.
> · She is going to _____ to the market.

① am - go   ② am - goes
③ be - go   ④ be - goes
⑤ be - went

[04~05] 다음 대화의 빈칸에 들어갈 말로 알맞은 것을 고르세요.

04

> **Q** Is your mom taking a walk?
> **A** _____

① Yes, he is.
② No, he isn't.
③ Yes, she does.
④ No, she isn't.
⑤ No, she doesn't.

05

> **Q** _____
> **A** Yes, he will.

① Will she call me?
② Will she calls me?
③ Will he call me?
④ Will he calls me?
⑤ Will he going to call me?

[06~07] 다음 ( ) 안에서 알맞은 것을 고르세요.

06 He (is not going / is going not) to have lunch.

07 John will not (is / be) a firefighter.

08 다음 빈칸에 was[Was] 또는 were[Were]를 넣을 때, 들어갈 말이 <u>다른</u> 것을 고르세요.

① Andy _____ sick yesterday.

② She _____ not in the gym.

③ The boys _____ tired.

④ Mr. Ford _____ in America.

⑤ _____ it rainy last night?

09 다음 중 동사원형과 과거형이 <u>잘못</u> 짝지어진 것을 고르세요.

① live - lived

② drop - droped

③ cry - cried

④ get - got

⑤ cut - cut

[10~12] 우리말에 맞게 주어진 동사를 빈칸에 알맞은 형태로 쓰세요.

10 Sally _____ those shoes. (buy)

샐리는 저 신발을 샀다.

11 _____ your brother _____ the violin? (play)

네 남동생은 바이올린을 연주했니?

12 The student _____ _____ the book yesterday. (read)

그 학생은 어제 그 책을 읽지 않았다.

13 다음 중 밑줄 친 부분이 올바른 것을 고르세요.

① They <u>use may</u> cellphones.

② We can <u>dances</u> well.

③ He can <u>carry</u> the box.

④ My mom <u>cans</u> play soccer.

⑤ Sally <u>may go not</u> outside.

14 다음 중 짝지어진 대화가 <u>어색한</u> 것을 고르세요.

① Q Can I eat this pizza?

A Yes, you can.

② Q Can they jump rope?

A No, they aren't.

③ Q May I use your pencil?

A Yes, you may.

④ Q May we go home?

A No, you may not.

⑤ Q Can you close the window?

A No, I can't.

15 다음 질문에 대한 알맞은 대답을 완성하세요.

Q May I leave now?

A No, _____ _____ _____.

[16~17] 다음 빈칸에 공통으로 들어갈 말로 알맞은 것을 고르세요.

16

· _____ do you do on Sundays?

· _____ is your name?

① When   ② How
③ Whose   ④ What
⑤ Where

17

· _____ raincoat is that?

· _____ socks are these?

① Who   ② Whose
③ When   ④ Where
⑤ How

[18~19] 다음 밑줄 친 부분을 바르게 고쳐 쓰세요.

18 Where <u>was</u> the boys?

그 남자아이들은 어디에 있었니?

→ _____

19 What did Amy <u>eats</u> yesterday?

에이미는 어제 무엇을 먹었니?

→ _____

[20~21] 다음 대답에 알맞은 의문문을 고르세요.

20

Q _____

A He exercises twice a week.

① How tall is your brother?
② How much is this dress?
③ What time is it now?
④ When does he get up?
⑤ How often does he exercise?

21

Q _____

A It's Monday.

① When was it?
② How tall is it?
③ How much is it?
④ What day is it?
⑤ When does it open?

22 다음 빈칸에 들어갈 말로 알맞지 <u>않은</u> 것을 고르세요.

What a _____ girl Anna is!

① cute   ② smart
③ kind   ④ beautifully
⑤ happy

[23~25] 우리말에 맞게 보기에서 알맞은 말을 골라 쓰세요.

<보기> take   wait   be

23 학교에 늦지 마라.

➡ _____ _____ late for school.

24 그를 기다리자.

➡ _____ _____ for him.

25 산책하지 말자.

➡ _____ _____ _____ a walk.

[26~27] 다음 밑줄 친 부분이 문장에서 하는 역할이 다른 것을 고르세요.

26 ① He has a nice shirt.
② My mom drinks coffee.
③ The man is a teacher.
④ Sam has lunch at school.
⑤ She finished her homework.

27 ① Danny likes dogs.
② Sara makes dinner.
③ Mr. Brown teaches English.
④ Ted washes his hands.
⑤ My sister sings every day.

[28~30] 다음 밑줄 친 부분을 바르게 고쳐 쓰세요.

28 We saw his in the cafe.

➡ _____

29 The hamburger smells well.

➡ _____

30 My aunt many photos takes.

➡ _____

틀린 문제가 어느 챕터에 해당하는지 확인하고, 복습해보세요.

정답과 해설 p.25

1	2	3	4	5	6	7	8	9	10
Ch1	Ch1	Ch2	Ch1	Ch2	Ch2	Ch2	Ch3	Ch3	Ch3
11	**12**	**13**	**14**	**15**	**16**	**17**	**18**	**19**	**20**
Ch3	Ch3	Ch4	Ch4	Ch4	Ch5	Ch5	Ch5	Ch5	Ch5
21	**22**	**23**	**24**	**25**	**26**	**27**	**28**	**29**	**30**
Ch5	Ch6	Ch6	Ch6	Ch6	Ch7	Ch7	Ch7	Ch7	Ch7

FINAL TEST 2회

01 다음 빈칸에 들어갈 말이 바르게 짝지어진 것을 고르세요.

> · The boy is _____ the paper.
> · They are _____ home now.

① cuting - coming

② cutting - comeing

③ cutting - coming

④ cuting - comeing

⑤ cut - comming

[02~03] 다음 빈칸에 들어갈 말로 알맞은 것을 고르세요.

02

> We _____ our bikes.

① are ride   ② isn't riding

③ riding   ④ aren't riding

⑤ doesn't ride

03

> _____ Sue _____ a snowman?

① Are, making

② Is, making

③ Does, making

④ Do, make

⑤ Is, make

04 다음 빈칸에 공통으로 들어갈 말로 알맞은 것을 고르세요.

> · William is _____ be a teacher.
> · Are you _____ go to school?

① will   ② going to

③ won't   ④ will going to

⑤ be going to

[05~07] 다음 밑줄 친 부분을 바르게 고쳐 쓰세요.

05 Jenny <u>willn't</u> be late for school.

제니는 학교에 늦지 않을 것이다.

→ _____

06 He's not going to <u>doing</u> the dishes.

그는 설거지를 하지 않을 것이다.

→ _____

07 Will he <u>buys</u> the clothes?

그는 그 옷을 살 거니?

→ _____

[08~11] 우리말에 맞게 보기에서 알맞은 것을 골라 바꿔 쓰세요.

<보기> be do not read miss

08 David _____ his grandma.

데이비드는 그의 할머니를 그리워했다.

09 My parents _____ in Busan last week.

내 부모님은 지난주에 부산에 없었다.

10 _____ Amy tired yesterday?

에이미는 어제 피곤했니?

11 Mike and I _____ _____ the newspapers.

마이크와 나는 신문을 읽지 않았다.

12 다음 밑줄 친 부분이 잘못된 것을 고르세요.

① Tom <u>met</u> his friend last week.

② Jane didn't <u>goes</u> to the park.

③ Did your mom <u>call</u> me?

④ They <u>weren't</u> busy last night.

⑤ I <u>ate</u> breakfast yesterday.

[13~15] 다음 ( ) 안에서 알맞은 것을 고르세요.

13 She (can / cans) speak Chinese.

14 Nick may (bring / brings) his dogs.

15 You (may not / not may) sing at night.

16 다음 밑줄 친 can의 의미가 <u>다른</u> 것을 고르세요.

① Tom <u>can</u> run fast.

② I <u>can</u> swim in the sea.

③ My dad <u>can</u> cook pasta.

④ He <u>can</u> use my pencil.

⑤ Jane <u>can</u> read English books.

17 다음 질문에 알맞은 대답을 고르세요.

Q Can you fix this TV?

A _____

① Yes, I may.

② Yes, you can.

③ No, you can't.

④ No, I can't.

⑤ No, I may not.

[18~19] 다음 빈칸에 들어갈 의문사가 다른 것을 고르세요.

18 ① _____ much are these?

② _____ grade is he in?

③ _____ was the weather?

④ _____ tall is your brother?

⑤ _____ often do you swim?

19 ① _____ book is it?

② _____ pants are those?

③ _____ old is your aunt?

④ _____ wallet is this?

⑤ _____ sweater is that?

20 다음 대답에 알맞은 의문문을 고르세요.

Q _____

A I need three.

① How much pencils do you need?

② How many pencils does he need?

③ How much pencil do you need?

④ How many pencils do you need?

⑤ How many pencils is you need?

[21~23] 다음 주어진 단어를 이용하여 문장을 완성하세요.

21 너는 방과 후에 무엇을 하니? (do)

→ _____ _____ you _____ after school?

22 Clara(클라라)는 어제 무엇을 샀니? (buy)

→ _____ _____ Clara _____ yesterday?

23 Karen(카렌)은 어디에 있었니? (be)

→ _____ _____ Karen?

24 다음 단어들을 배열하여 감탄문을 만들 때, 올바른 순서를 고르세요.

ⓐ a, ⓑ picture, ⓒ nice, ⓓ is, ⓔ this, ⓕ what

① ⓔ - ⓓ - ⓐ - ⓒ - ⓑ - ⓕ

② ⓕ - ⓒ - ⓑ - ⓐ - ⓓ - ⓔ

③ ⓕ - ⓐ - ⓒ - ⓑ - ⓓ - ⓔ

④ ⓕ - ⓒ - ⓐ - ⓑ - ⓓ - ⓔ

⑤ ⓕ - ⓐ - ⓒ - ⓑ - ⓔ - ⓓ

25 다음 문장을 감탄문으로 바르게 바꾼 것을 고르세요.

> The backpack is really cheap.

① What cheap a backpack!

② What a cheap backpack is!

③ How the cheap backpack it is!

④ How cheap the backpack is!

⑤ How the cheap backpack is!

[26~27] 다음 빈칸에 들어갈 말로 알맞지 <u>않은</u> 것을 고르세요.

26

> _____ coffee.

① Drink   ② Let's drink

③ Be drink   ④ Don't drink

⑤ Let's not drink

27

> What a _____ boy he is!

① good   ② happily

③ lazy   ④ tall

⑤ fast

[28~30] 다음 문장에 해당하는 것을 보기에서 골라 빈칸에 그 기호를 쓰세요.

> <보기>   ⓐ 주어+동사   ⓑ 주어+동사+보어
>
>   ⓒ 주어+동사+목적어

28 The moon shines brightly.

→ _____

29 This hat looks good.

→ _____

30 Bill and Jim have lunch.

→ _____

틀린 문제가 어느 챕터에 해당하는지 확인하고, 복습해보세요.

정답과 해설 p.27

1	2	3	4	5	6	7	8	9	10
Ch1	Ch1	Ch1	Ch2	Ch2	Ch2	Ch2	Ch3	Ch3	Ch3
11	**12**	**13**	**14**	**15**	**16**	**17**	**18**	**19**	**20**
Ch3	Ch3	Ch4	Ch4	Ch4	Ch4	Ch4	Ch5	Ch5	Ch5
21	**22**	**23**	**24**	**25**	**26**	**27**	**28**	**29**	**30**
Ch5	Ch5	Ch5	Ch6	Ch6	Ch6	Ch6	Ch7	Ch7	Ch7

동사원형	과거형	동사원형	과거형
become 되다	became	know 알다	knew
begin 시작하다	began	leave 떠나다	left
bite 물다	bit	lose 잃어버리다; 지다	lost
blow 불다	blew	lend 빌려주다	lent
break 깨뜨리다	broke	make 만들다	made
bring 가져오다	brought	meet 만나다	met
build 짓다, 만들다	built	pay (돈을) 내다	paid
buy 사다	bought	put 놓다, 두다	put
catch 잡다	caught	read 읽다	read [red]
choose 고르다	chose	ride 타다	rode
come 오다	came	run 달리다	ran
cut 자르다	cut	say 말하다	said
do 하다	did	see 보다	saw
draw 그리다	drew	sell 팔다	sold
drink 마시다	drank	send 보내다	sent
drive 운전하다	drove	shine 빛나다	shone / shined
eat 먹다	ate	sing 노래하다	sang
fall 떨어지다	fell	sit 앉다	sat
feel 느끼다	felt	sleep 자다	slept
find 찾다	found	speak 말하다	spoke
fly 날다	flew	spend (돈, 시간을) 쓰다	spent
forget 잊다	forgot	stand 서다	stood
go 가다	went	swim 수영하다	swam
get 얻다, 받다	got	take 가져가다	took
give 주다	gave	teach 가르치다	taught
grow 자라다; 키우다	grew	tell 말하다	told
have 가지고 있다; 먹다	had	think 생각하다	thought
hear 듣다	heard	throw 던지다	threw
hide 숨다	hid	understand 이해하다	understood
hit 치다, 때리다	hit	wake 잠이 깨다	woke
hold 잡다, 들고 있다	held	wear 입다	wore
hurt 다치다	hurt	win 이기다	won
keep 계속하다	kept	write 쓰다	wrote

초등코치

천일문 *sentence*

1,001개 통문장 암기로 영어의 기초 완성

1 | 초등학생도 쉽게 따라 할 수 있는 암기 시스템 제시

2 | 암기한 문장에서 자연스럽게 문법 규칙 발견

3 | 영어 동화책에서 뽑은 빈출 패턴으로 흥미와 관심 유도

4 | 미국 현지 초등학생 원어민 성우가 녹음한 생생한 MP3

5 | 세이펜(음성 재생장치)을 활용해 실시간으로 듣고 따라 말하는 효율적인 학습 가능
Role Play 기능을 통해 원어민 친구와 1:1 대화하기!

* 기존 보유하고 계신 세이펜으로도 핀파일 업데이트 후 사용 가능합니다.
* Role Play 기능은 '레인보우 SBS-1000' 이후 기종에서만 기능이 구현됩니다.

내신, 수능, 말하기, 회화
목적은 달라도
시작은 초등코치 천일문!

with
세이펜

• 연계 & 후속 학습에 좋은 초등코치 천일문 시리즈 •

**초등코치 천일문
GRAMMAR 1, 2, 3**
-
1,001개 예문으로
배우는 초등 영문법

**초등코치 천일문
VOCA & STORY 1, 2**
-
1001개의 초등 필수 어휘와
짧은 스토리

1 구문 · 판매 1위 '천일문' 콘텐츠를 활용하여 정확하고 다양한 구문 학습

(끊어읽기) (해석하기) (문장 구조 분석) (해설·해석 제공) (단어 스크램블링) (영작하기)

2 문법·서술형 · 쎄듀의 모든 문법 문항을 활용하여 내신까지 해결하는 정교한 문법 유형 제공

(객관식과 주관식의 결합) (문법 포인트별 학습) (보기를 활용한 집합 문항) (내신대비 서술형) (어법+서술형 문제)

3 어휘 · 초·중·고·공무원까지 방대한 어휘량을 제공하며 오프라인 TEST 인쇄도 가능

(영단어 카드 학습) (단어 ↔ 뜻 유형) (예문 활용 유형) (단어 매칭 게임)

4 선생님 보유 문항 이용

(Online Test) (OMR Test)

cafe.naver.com/cedulearnteacher

쎄듀런 학습 정보가 궁금하다면?

쎄듀런 Cafe

· 쎄듀런 사용법 안내 & 학습법 공유
· 공지 및 문의사항 QA
· 할인 쿠폰 증정 등 이벤트 진행

Oh! My
PHONICS & SPEAKING & GRAMMAR

◆ Oh! My 시리즈는 본문 전체가 영어로 구성된 ELT 도서입니다.   ◆ 세이펜이 적용된 도서로, 홈스쿨링 학습이 가능합니다.

My Oh! Phonics
오! 마이 파닉스

❶ 첫 영어 시작을 위한
유·초등 파닉스 학습서(레벨 1~4)

❷ 기초 알파벳부터
단/장/이중모음/이중자음 완성

❸ 초코언니 무료 유튜브 강의 제공

Flashcards

Oh! My SPEAKING
오! 마이 스피킹

❶ 말하기 중심으로 어휘,
문법까지 학습 가능(레벨1~6)

❷ 주요 어휘와 문장 구조가
반복되는 학습

❸ 초코언니 무료 유튜브 강의 제공

Flashcards

New
My Oh! Grammar
오! 마이 그래머

❶ 첫 문법 시작을 위한
초등 저학년 기초 문법서(레벨1~3)

❷ 흥미로운 주제와 상황을 통해
자연스러운 문법 규칙 학습

❸ 초코언니 무료 우리말 음성 강의 제공

파닉스 규칙을 배우고 스피킹과 문법 학습으로 이어가는 유초등 영어의 첫 걸음!

쎄듀 오! 마이 시리즈로 영어 자신감 UP↑ 탄탄한 초등 영어 습관을 만들어보세요!

쎄듀북닷컴(www.cedubook.com)에서 부가 자료를 무료 다운로드할 수 있습니다.

쎄듀

왓츠 What's Grammar +Plus

WORKBOOK

2

교육부 지정
초등 필수 영문법

쎄듀

와즈
What's
Grammar⁺Plus

WORKBOOK

2

CHAPTER 1 현재진행형

UNIT 1 현재진행형의 긍정문

● 우리말에 맞게 보기의 단어를 이용하여 문장을 완성하세요.

보기	am are is dance go drink make
	run swim have drive sit do

01 Andrew _____is_____ ____going____ to the market now.

앤드류는 지금 시장에 가고 있다.

02 My brother _____ _____ on the stage.

내 오빠는 무대 위에서 춤추고 있다.

03 I _____ _____ water.

나는 물을 마시고 있다.

04 The girl _____ _____ a cake.

그 여자아이는 케이크를 만들고 있다.

05 The students _____ _____ in the park.

그 학생들은 공원에서 뛰고 있다.

06 Sally _____ _____ breakfast.

샐리는 아침을 먹고 있다.

07 The children _____ _____ in the river.

그 아이들은 강에서 수영하고 있다.

08 My aunt _____ _____ her car.

나의 고모는 차를 운전하고 계신다.

09 David and Matt _____ _____ on the bench.

데이비드와 매트는 벤치에 앉아 있다.

10 They _____ _____ their homework.

그들은 숙제를 하고 있다.

👄 우리말에 맞게 주어진 단어를 이용하여 현재진행형 문장을 완성하세요.

01 그 아이들은 사탕을 사고 있지 않다.

→ The kids ___aren't___ ___buying___ candy. (buy)

02 Kate(케이트)는 그림을 그리고 있니?

→ _____ _____ _____ a picture? (draw)

03 그는 버스를 타고 있지 않다.

→ _____ _____ _____ a bus. (take)

04 내 사촌은 종이를 자르고 있지 않다.

→ My cousin _____ _____ the paper. (cut)

05 너는 음악을 듣고 있니?

→ _____ _____ _____ to music? (listen)

06 Susie(수지)는 영화를 보고 있지 않다.

→ _____ _____ _____ a movie. (watch)

07 그들은 그 노트북을 사용하고 있니?

→ _____ _____ _____ the laptop? (use)

08 그녀는 그 경기를 이기고 있니?

→ _____ _____ _____ the game? (win)

09 Tiffany(티파니)와 Tony(토니)는 농구를 하고 있지 않다.

→ Tiffany and Tony _____ _____ basketball. (play)

10 우리는 자전거를 타고 있지 않다.

→ _____ _____ _____ our bicycles. (ride)

◖ 우리말에 맞게 주어진 단어를 이용하여 문장을 완성하세요.
(필요하면 단어를 추가하거나 형태를 바꾸세요.)

01 Luke(루크)는 그의 엄마를 돕고 있지 않다. (help, not, his mom)

→ _____Luke isn't helping his mom._____

02 그들은 그 자동차를 고치고 있다. (fix, the car)

→ _____

03 그 학생들은 집에 가고 있니? (go, home, the students)

→ _____

04 그 남자아이는 빨간 야구모자를 쓰고 있다. (the boy, wear, a red cap)

→ _____

05 Jack(잭)은 편지를 쓰고 있니? (write, a letter)

→ _____

06 내 친구들은 노래 부르고 있지 않다. (my friends, not, sing)

→ _____

07 그 고양이는 자고 있니? (the cat, sleep)

→ _____

08 아빠는 여행 가방을 들고 계신다. (carry, a suitcase, my father)

→ _____

09 그 여자는 파이를 굽고 있지 않다. (the woman, not, bake, a pie)

→ _____

10 너는 네 방을 청소하고 있니? (clean, your room)

→ _____

UNIT 1 will

● 우리말에 맞게 will과 주어진 단어를 이용하여 문장을 완성하세요.

01 그녀는 선글라스를 끼지 않을 것이다.

→ She ___will___ ___not___ ___wear___ sunglasses. (wear)

02 Jenny(제니)는 그녀의 숙제를 할 거니?

→ _____ _____ _____ her homework? (do)

03 나는 편지를 쓸 것이다.

→ I _____ _____ a letter. (write)

04 너는 다음 달에 서울에 있을 거니?

→ _____ _____ _____ in Seoul next month? (be)

05 Alice(앨리스)는 그 질문에 답하지 않을 것이다.

→ Alice _____ _____ _____ the question. (answer)

06 Ted(테드)는 피아노 레슨을 받을 거니?

→ _____ _____ _____ piano lessons? (take)

07 그들은 차를 좀 만들 것이다.

→ They _____ _____ some tea. (make)

08 우리는 다음 주에 해변에 가지 않을 것이다.

→ We _____ _____ _____ to the beach next week. (go)

09 그는 그의 방을 치울 거니?

→ _____ _____ _____ his room? (clean)

10 그는 그의 엄마를 위해 꽃을 살 것이다.

→ He _____ _____ flowers for his mom. (buy)

● 우리말에 맞게 보기에서 알맞은 단어를 고른 후, be going to를 이용하여 문장을 완성하세요.

| 보기 | go | play | have | walk | arrive |
| | do | read | listen | visit | join |

01 Jeff ___isn't___ ___going___ ___to___ ___have___ a sandwich.
제프는 샌드위치를 먹지 않을 것이다.

02 Susie and I _____ _____ _____ _____ to bed early.
수지와 나는 일찍 잠자리에 들 것이다.

03 _____ Steve _____ _____ _____ outside tomorrow?
스티브는 내일 밖에서 놀 거니?

04 The school bus _____ _____ _____ _____ at 8.
그 스쿨버스는 8시에 도착할 예정이다.

05 She _____ _____ _____ the dog tomorrow.
그녀는 내일 개를 산책시키지 않을 것이다.

06 _____ Lucy and Tom _____ _____ the party?
루시와 톰은 그 파티에 참석할거니?

07 Tommy _____ _____ _____ Korea next year.
토미는 내년에 한국을 방문할 예정이다.

08 Jessie and Ann _____ _____ _____ _____ books.
제시와 앤은 책을 읽지 않을 것이다.

09 _____ you _____ _____ _____ to music?
너희들은 음악을 들을 거니?

10 They _____ _____ _____ _____ their homework at 5.
그들은 5시에 숙제를 할 예정이다.

● 우리말에 맞게 주어진 단어를 이용하여 문장을 완성하세요.
　(필요하면 단어를 추가하거나 형태를 바꾸세요.)

01　다음 주는 흐리지 않을 것이다. (be, it, will, cloudy, next week)

→　　　　　　　　It will not be cloudy next week.

02　Sally(샐리)와 나는 축구를 할 것이다. (and, soccer, play, will)

→

03　우리는 내일 바쁠 것이다. (busy, be, will, tomorrow)

→

04　아빠는 다음 달에 벽을 칠하실 것이다. (be, dad, going to, the wall, paint, next month)

→

05　너는 햄버거를 먹을 거니? (a hamburger, eat, be, going to)

→

06　나는 부산에서 방학을 보낼 것이다. (be, going to, the vacation, spend)

→　　　　　　　　　　　　　　　　　　　　　　　in Busan.

07　그녀는 Sam(샘)을 만날 거니? (be, going to, meet)

→

08　그들은 세차를 하지 않을 것이다. (will, their cars, wash)

→

09　그 콘서트는 8시 정각에 끝나니? (at 8 o'clock, the concert, end, will)

→

10　Amy(에이미)는 체리를 사지 않을 것이다. (cherries, be, buy, going to)

→

UNIT 1 be동사의 과거형

◔ 우리말에 맞게 빈칸에 알맞은 be동사를 쓰세요.

01 ____Were____ you tired?   너는 피곤했니?

02 The movie _____ interesting.   그 영화는 재미있었다.

03 Jane and I _____ sick.   제인과 나는 아프지 않았다.

04 We _____ at the party.   우리는 파티에 있었다.

05 _____ the boy busy?   그 남자아이는 바쁘니?

06 The store _____ open yesterday.   그 가게는 어제 열지 않았다.

07 The coffee _____ very hot.   그 커피는 매우 뜨거웠다.

08 _____ Clara in the classroom?   클라라는 교실 안에 있었니?

09 He _____ a great pianist.   그는 훌륭한 피아니스트였어.

10 It _____ cold last week.   지난주는 춥지 않았다.

11 My sister _____ a pilot.   내 여동생은 비행기 조종사였어.

12 _____ they happy?   그들은 행복하니?

13 My friend _____ on the playground.   내 친구는 운동장에 없다.

14 _____ they on the second floor?   그들은 2층에 있었니?

15 David _____ in Japan.   데이비드는 일본에 있었다.

◑ 다음 주어진 동사를 과거형으로 바꿔 쓰세요.

01 My dad _____drove_____ to his work. (drive)

02 Matt _____ his pen on the desk. (put)

03 Judy _____ some vegetables. (want)

04 We _____ home late. (arrive)

05 Mary _____ the plate. (drop)

06 She _____ her bicycle yesterday. (ride)

07 The students _____ the textbooks. (read)

08 They _____ to the library last night. (go)

09 The girl _____ pizza for lunch. (eat)

10 Ms. Green _____ a walk in the park. (take)

11 They _____ a baseball game. (watch)

12 I _____ _____ at 7 in the morning. (wake up)

13 My family _____ in Canada last year. (live)

14 Sam _____ math after school. (study)

15 Wendy and I _____ our grandma. (visit)

16 My cousin _____ an apple pie last week. (make)

◖ 다음 밑줄 친 부분을 바르게 고쳐 쓰세요.

01 She didn't cleans her room.   →   didn't clean
그녀는 그녀의 방을 치우지 않았다.

02 Does Kate help them last week?   →
케이트는 지난주에 그들을 도와주었니?

03 Paul didn't cuts the paper yesterday.   →
폴은 어제 그 종이를 자르지 않았다.

04 Did you solved the puzzle?   →
너는 그 퍼즐을 풀었니?

05 Jimmy did not drank water.   →
지미는 물을 마시지 않았다.

06 My brother doesn't sing loudly last night. →
내 남동생은 어젯밤에 시끄럽게 노래를 부르지 않았다.

07 Do they finish their homework before 5? →
그들은 5시 전에 숙제를 끝냈니?

08 Kevin not did write a letter.   →
케빈은 편지를 쓰지 않았다.

09 We didn't ate breakfast at 9 a.m.   →
우리는 오전 9시에 아침을 먹지 않았다.

10 Did John sees a tiger at the zoo?   →
존은 동물원에서 호랑이를 보았니?

11 I didn't worked yesterday.   →
나는 어제 일하지 않았다.

🔵 우리말에 맞게 주어진 단어를 이용하여 문장을 완성하세요.
(필요하면 단어를 추가하거나 형태를 바꾸세요.)

01 그것은 내 휴대전화가 아니었다. (cellphone, be, not)

→ _____ It wasn't my cellphone. _____

02 Kelly(켈리)는 지난 주말에 저녁 식사를 만들었다. (dinner, make, last weekend)

→ _____

03 너는 지난주에 바빴니? (last week, busy, be)

→ _____

04 Tom(톰)은 어제 그 서점에 없었다. (be, not, at, the bookstore, yesterday)

→ _____

05 그 남자아이는 방과 후에 축구를 하지 않았다. (soccer, the boy, play, not)

→ _____ after school.

06 그녀는 내 가장 친한 친구였다. (best friend, be)

→ _____

07 너는 작년에 런던을 방문했니? (London, visit, last year)

→ _____

08 그 고양이는 소파 위에 앉았다. (sit, the cat, the sofa, on)

→ _____

09 그들은 어젯밤에 오지 않았다. (come, last night)

→ _____

10 그는 한 시간 전에 학교에 있었니? (be, at school, an hour ago)

→ _____

CHAPTER 4 조동사 can, may

UNIT 1 조동사 can

● 우리말에 맞게 can과 주어진 단어를 이용하여 빈칸을 완성하세요.

01 Chickens ___can't___ ___fly___ . (fly)
닭은 날 수 없다.

02 The girl _____ _____ English. (speak)
그 여자아이는 영어를 할 수 있다.

03 _____ _____ _____ a horse? (ride)
너는 말을 탈 수 있니?

04 You _____ _____ in this chair. (sit)
너는 이 의자에 앉아도 돼.

05 Jane _____ _____ the game. (win)
제인은 그 경기를 이길 수 없다.

06 You _____ _____ my textbook. (borrow)
너는 내 교과서를 빌려도 돼.

07 _____ you _____ the door? (close)
문 좀 닫아 줄래?

08 My sister _____ _____ well. (sing)
내 여동생은 노래를 잘 부르지 못한다.

09 You _____ _____ to the bathroom now. (go)
너는 지금 화장실에 갈 수 없어.

10 _____ _____ _____ your cellphone? (use)
내가 네 휴대전화를 사용해도 되니?

11 The boy _____ _____ you. (help)
그 남자아이는 너를 도와줄 수 있어.

우리말에 맞게 밑줄 친 부분을 바르게 고쳐 쓰세요.

01 You <u>not may</u> eat this. → <u>may not</u>
너는 이것을 먹으면 안 돼.

02 You <u>use may</u> my camera. → _____
너는 내 카메라를 사용해도 돼.

03 <u>Do I may</u> sit here? → _____
여기 앉아도 되나요?

04 He <u>mays</u> use this room. → _____
그는 이 방을 사용해도 돼.

05 You <u>mayn't</u> talk loudly here. → _____
너는 여기서 크게 말하면 안 돼.

06 Sue may <u>opens</u> the box. → _____
수는 이 상자를 열어도 돼.

07 You <u>may</u> push the chairs. → _____
너는 의자를 밀면 안 돼.

08 May I <u>asks</u> a question? → _____
제가 질문을 해도 되나요?

09 <u>We may come</u> in? → _____
우리가 들어가도 되나요?

10 You <u>don't may</u> see this movie. → _____
너는 이 영화를 보면 안 돼.

11 Jamie <u>may leave not</u> now. → _____
제이미는 지금 떠나면 안 돼.

⚫ 우리말에 맞게 주어진 단어를 이용하여 문장을 완성하세요.
(필요하면 단어를 추가하거나 형태를 바꾸세요.)

01 나는 그녀를 이해할 수 없다. (can, understand)

→ _____ I can't understand her. _____

02 너는 밖에서 놀아도 돼. (play, may, outside)

→ _____

03 그는 여기에 주차하면 안 돼. (can, park, here)

→ _____

04 Danny(대니)는 테니스를 칠 수 있니? (play, tennis, can)

→ _____

05 그녀는 그 건물에 들어가면 안 된다. (the building, may, enter)

→ _____

06 우리가 여기 머물러도 되나요? (may, here, stay)

→ _____

07 그들은 꽃을 꺾으면 안 된다. (can, the flowers, pick)

→ _____

08 너는 네 반려동물을 데려와도 돼. (may, your pet, bring)

→ _____

09 James(제임스)는 빨리 달릴 수 있니? (run, can, fast)

→ _____

10 Jessy(제시)와 Tom(톰)은 짠 음식을 먹으면 안 돼. (and, eat, may, salty food)

→ _____

UNIT 1　의문사 + be동사 의문문

◉ 우리말에 맞게 빈칸에 알맞은 의문사와 be동사를 쓰세요.

01　　What　　　　is　　　　your sister's name?　　　네 여동생의 이름은 무엇이니?

02　_____　_____　the men?　　　그 남자들은 누구니?

03　_____　_____　his birthday?　　　그의 생일은 언제니?

04　_____　_____　your uncle?　　　네 삼촌은 어떠시니?

05　_____　_____　your friends?　　　네 친구들은 어디에 있니?

06　_____　_____　those?　　　저것들은 무엇이니?

07　_____　_____　the movie?　　　그 영화는 어땠니?

08　_____　_____　the gloves?　　　그 장갑은 어디에 있니?

09　_____　_____　the kids?　　　그 아이들은 어디에 있었니?

10　_____　_____　your summer vacation?　　네 여름방학은 언제였니?

11　_____　_____　the girl?　　　그 여자아이는 누구였니?

12　_____　_____　the players?　　　그 선수들은 어떠니?

13　_____　_____　the station?　　　역은 어디에 있니?

14　_____　_____　this?　　　이것은 무엇이니?

15　_____　_____　the test?　　　그 시험은 언제니?

◑ 우리말에 맞게 주어진 단어를 이용하여 문장을 완성하세요.

01 ____What____ ____did____ Jane ___study___ yesterday? (study)
제인은 어제 무엇을 공부했니?

02 _____ _____ your brother _____? (swim)
네 남동생은 어디에서 수영을 하니?

03 _____ _____ Brian _____ breakfast? (have)
브라이언은 언제 아침을 먹었니?

04 _____ _____ she _____ to the park? (go)
그녀는 어떻게 공원에 가니?

05 _____ _____ you _____ yesterday? (do)
너는 어제 무엇을 했니?

06 _____ _____ your friends _____? (dance)
네 친구들은 어디에서 춤췄니?

07 _____ _____ he _____ the problem? (know)
그는 그 문제를 어떻게 아니?

08 _____ _____ the concert _____? (start)
그 콘서트는 언제 시작하니?

09 _____ _____ I _____ the tickets? (buy)
제가 그 표를 어떻게 살 수 있나요?

10 _____ _____ they _____? (meet)
그들은 어디에서 만나니?

11 _____ _____ Clara _____ home? (come)
클라라는 언제 집에 오니?

다음 보기의 표현과 주어진 단어를 이용하여 대화를 완성하세요.

보기	What time	What day	What grade	Whose	How old
	How much	How many	How tall	How often	

01 Q ___What___ ___time___ ___was___ it? (be)

A It was half past two.

02 Q ___ ___ ___ your cousin? (be)

A She is nine years old.

03 Q ___ ___ water ___ he want? (do)

A He wants a bottle of water.

04 Q ___ ___ ___ it today? (be)

A It's Wednesday.

05 Q ___ ___ ___ those oranges? (be)

A They're 5 dollars.

06 Q ___ ___ ___ Dan in? (be)

A He's in fifth grade.

07 Q ___ ___ cats ___ you have? (do)

A I have two.

08 Q ___ ___ ___ she play games? (do)

A She played once a week.

09 Q ___ ___ ___ Kate? (be)

A She's 140 centimeters tall.

10 Q ___ ___ ___ this? (be, eraser)

A It's Jenny's.

◉ 우리말에 맞게 주어진 단어를 이용하여 문장을 완성하세요.
(필요하면 단어를 추가하거나 형태를 바꾸세요.)

01 Ron(론)은 월요일에 무엇을 했니? (do, on Monday, do)

→ _____What did Ron do on Monday?_____

02 너는 토끼를 몇 마리 가지고 있니? (rabbit, do, have)

→ _____

03 어린이날은 언제니? (Children's Day, be)

→ _____

04 그 수업은 언제 시작하니? (begin, the class, do)

→ _____

05 저 나무는 얼마나 크니? (be, that tree)

→ _____

06 너희 아빠는 왜 화가 나셨니? (angry, your dad, be)

→ _____

07 그 책들은 어땠니? (be, the books)

→ _____

08 네 엄마는 어떻게 병원에 가셨니? (go, to the hospital, do, your mom)

→ _____

09 Jessica(제시카)는 어디에 사니? (live, do)

→ _____

10 저것은 누구의 재킷이니? (jacket, be, that)

→ _____

UNIT 1 명령문과 제안문

● 우리말에 맞게 주어진 단어를 이용하여 빈칸을 완성하세요.

01 버스를 타자. (take)

➡ _____Let's_____ _____take_____ a bus.

02 빠르게 운전하지 마세요. (drive)

➡ Please_____ _____ fast.

03 네 아빠를 도와드려라. (help)

➡ _____ your father.

04 화내지 마라. (be)

➡ _____ _____ angry.

05 예의 바르자. (be)

➡ _____ _____ polite.

06 내일 네 우산을 가져 와라. (bring)

➡ _____ your umbrella tomorrow.

07 라디오를 듣자. (listen)

➡ _____ _____ to the radio.

08 설거지를 하지 마라. (do)

➡ _____ _____ the dishes.

09 큰 소리로 말하지 말자. (speak)

➡ _____ _____ _____ loudly.

10 수업에 늦지 말자. (be)

➡ _____ _____ _____ late for class.

◖ 다음 문장을 감탄문으로 바꿀 때, 빈칸에 알맞은 말을 쓰세요.

01 The city is very big. 그 도시는 매우 크다.

→ _____How_____ _____big_____ the city is!

02 This is a really beautiful flower. 이것은 정말 아름다운 꽃이다.

→ _____ _____ _____ _____ !

03 The movie is very sad. 그 영화는 매우 슬프다.

→ _____ _____ the movie is!

04 The girl dances very well. 그 여자아이는 매우 춤을 잘 춘다.

→ _____ _____ the girl dances!

05 She is a very kind teacher. 그녀는 매우 친절한 선생님이다.

→ _____ _____ _____ _____ she is!

06 Your dog is very smart. 네 개는 매우 영리하다.

→ _____ _____ your dog is!

07 The cake is really delicious. 그 케이크는 정말 맛있다.

→ _____ _____ the cake is!

08 It is a really expensive car. 그것은 정말 비싼 자동차이다.

→ _____ _____ _____ _____ !

09 Your sister is very lovely. 네 여동생은 매우 사랑스럽다.

→ _____ _____ your sister is!

10 It is really loud music. 그것은 정말 시끄러운 음악이다.

→ _____ _____ _____ it is!

◐ 우리말에 맞게 주어진 단어를 이용하여 문장을 완성하세요.
(필요하면 단어를 추가하거나 형태를 바꾸세요.)

01 문을 닫지 마라. (the door, close)

→   Don't close the door.

02 테이블을 옮기자. (move, the table)

→ _____

03 이 상자를 열어라. (this, box, open)

→ _____

04 학교에 걸어가지 말자. (walk, to school)

→ _____

05 너는 정말 키가 크구나! (you, tall, are)

→ _____

06 그것은 정말 재미있는 책이구나! (book, interesting, an, is, it)

→ _____

07 Chris(크리스)는 정말 잘생겼구나! (handsome, is)

→ _____

08 이것은 정말 신 오렌지구나! (is, this, a, orange, sour)

→ _____

09 그는 정말 아름답게 노래를 부르는구나! (beautifully, sings, he)

→ _____

10 그것은 정말 긴 강이구나! (a, river, long, is, it)

→ _____

CHAPTER 7 문장 형식

UNIT 1 문장을 이루는 요소

● 다음 밑줄 친 부분에 해당하는 것을 보기에서 골라 그 숫자를 쓰세요.

| 보기 | ① 주어 | ② 동사 | ③ 목적어 | ④ 보어 |

01 <u>Ms. Brown</u> teaches English.
①

02 Matt <u>does</u> his homework.

03 <u>The student</u> closed the door.

04 He <u>walked</u> the dog in the park.

05 Sue is <u>a student</u>.

06 His sister ate <u>a sandwich</u> at 8.

07 She <u>smiles</u> beautifully.

08 Jin and her son are <u>scientists</u>.

09 I visited <u>her</u> yesterday.

10 She drinks <u>some water</u>.

11 They were <u>tired</u> last night.

12 The market <u>is</u> next to the building.

13 <u>Maria and I</u> study math.

14 <u>This silk</u> is soft.

15 They are <u>flowers</u>.

16 Peaches are <u>sweet</u>.

17 My sister reads <u>a newspaper</u>.

18 Diana <u>lives</u> in America.

19 The child <u>likes</u> ice cream.

20 He has <u>two toothbrushes</u>.

다음 ( ) 안에서 알맞은 것을 고르고, 보기에서 알맞은 문장 형식을 골라 그 숫자를 쓰세요.

| 보기 | ① 주어+동사 | ② 주어+동사+보어 | ③ 주어+동사+목적어 |

01 The baby (has / (sleeps)) well. → _____①_____

02 She (is / looks) a pilot. → _____

03 The tiger (does / runs) fast. → _____

04 My dad reads (has / it). → _____

05 The room is (large / needs). → _____

06 My sister (does / goes) to school. → _____

07 I know (she / her). → _____

08 This flower smells (good / well). → _____

09 The movie (is / has) long. → _____

10 Mary has (tall / sneakers). → _____

11 It (is / moves) very quickly. → _____

12 The music sounds (strange / strangely). → _____

13 Tom (was / finished) the work. → _____

14 Julia helps (his / him). → _____

15 The children look (happy / happily). → _____

◉ 우리말에 맞게 주어진 단어를 이용하여 문장을 완성하세요.
   (필요하면 단어를 추가하거나 형태를 바꾸세요.)

01 이 바지는 새것이다. (newly, these pants, be)

→ _____ These pants are new. _____

02 John(존)은 매우 높이 뛴다. (high, very, jump)

→ _____

03 우리는 어제 포도들을 먹었다. (have, grape)

→ _____ yesterday.

04 그의 보트는 멋져 보인다. (nicely, his boat, look)

→ _____

05 우리는 조용히 얘기한다. (talk, quiet)

→ _____

06 그 곰은 화가 나 있다. (be, the bear, angry)

→ _____

07 Jerry(제리)와 Ted(테드)는 벤치에 앉았다. (sit, on the bench, and)

→ _____

08 내 여동생과 나는 테니스를 친다. (tennis, play, sister, and)

→ _____

09 Mr. Smith(스미스 씨)는 우리를 가르친다. (we, teach, Mr. Smith)

→ _____

10 이 수프는 맛있다. (taste, deliciously, this soup)

→ _____

단어 따라 쓰기 연습지

단어 따라 쓰기 연습지로 **초등 필수 영단어까지 한 번에!**

일러두기 ☑ 교재에 등장한 교육부 지정 초등 필수 영단어를 모두 정리했어요.
☑ 셀 수 있는 명사의 복수형, 동사의 3인칭 단수형까지 함께 공부할 수 있어요.

| CHAPTER 1 | 다음 단어의 뜻을 확인하고, 세 번씩 따라 써보세요.

UNIT 1

1	**wear** (wears)	입고[쓰고, 신고] 있다	wear wear wear
2	**cap** (caps)	야구모자	
3	**swim** (swims)	수영하다	
4	**music**	음악	
5	**every day**	매일	
6	**now**	지금, 이제	
7	**go** (goes)	가다	
8	**eat** (eats)	먹다	
9	**play** (plays)	(게임 등을)하다; 놀다; 연주하다	
10	**sleep** (sleeps)	자다	
11	**come** (comes)	오다	
12	**make** (makes)	만들다	
13	**write** (writes)	쓰다	
14	**lie** (lies)	눕다, 누워 있다	
15	**die** (dies)	죽다	
16	**sit** (sits)	앉다	

17	**cut** (cuts)	자르다
18	**run** (runs)	뛰다, 달리다
19	**win** (wins)	이기다, 우승하다
20	**have** (has)	가지고 있다; 먹다
21	**lunch**	점심 식사
22	**help** (helps)	돕다
23	**teach** (teaches)	가르치다
24	**look at** (looks at)	~을 보다
25	**walk** (walks)	걷다
26	**jump** (jumps)	뛰다, 점프하다
27	**hold** (holds)	잡고[들고] 있다
28	**talk** (talks)	말하다
29	**read** (reads)	읽다
30	**call** (calls)	전화하다; 부르다
31	**carry** (carries)	들고 있다; 나르다
32	**move** (moves)	움직이다, 옮기다
33	**take** (takes)	가지고 가다
34	**drive** (drives)	운전하다
35	**bake** (bakes)	굽다
36	**use** (uses)	이용하다
37	**hit** (hits)	치다, 때리다
38	**stop** (stops)	멈추다
39	**newspaper** (newspapers)	신문
40	**bear** (bears)	곰

41	**email** (emails)	이메일	
42	**brother** (brothers)	형, 오빠, 남동생	
43	**computer** (computers)	컴퓨터	
44	**game** (games)	게임; 경기	
45	**dolphin** (dolphins)	돌고래	
46	**sea**	바다	
47	**skateboard** (skateboards)	스케이트보드	
48	**hat** (hats)	모자	
49	**piano** (pianos)	피아노	
50	**take a lesson** (takes a lesson)	수업[레슨]을 받다	
51	**ride** (rides)	타다	
52	**bike** (bikes)	자전거	
53	**park** (parks)	공원	
54	**farmer** (farmers)	농부	
55	**work** (works)	일하다; 일, 직장	
56	**farm** (farms)	농장	
57	**clean** (cleans)	청소하다; 깨끗한	
58	**room** (rooms)	방	
59	**grass**	잔디, 풀	
60	**man** (men)	(성인) 남자	
61	**bench** (benches)	벤치	
62	**bus** (buses)	버스	
63	**fix** (fixes)	고치다	

64	**watch** (watches)	보다; 손목시계	
65	**soccer**	축구	
66	**family** (families)	가족	
67	**beach** (beaches)	해변	
68	**meet** (meets)	만나다	
69	**friend** (friends)	친구	
70	**wash the dishes** (washes the dishes)	설거지를 하다	
71	**sofa** (sofas)	소파	
72	**paint** (paints)	페인트를 칠하다; 그리다	
73	**wall** (walls)	벽	
74	**student** (students)	학생	

UNIT 2

1	**tennis**	테니스	
2	**cook** (cooks)	요리하다; 요리사	
3	**dance** (dances)	춤추다	
4	**garden** (gardens)	정원	
5	**teacher** (teachers)	선생님	
6	**frog** (frogs)	개구리	
7	**camera** (cameras)	카메라	
8	**clothes**	옷	
9	**kitchen** (kitchens)	부엌, 주방	
10	**picture** (pictures)	그림, 사진	

11	**basketball**	농구	
12	**hippo** (hippos)	하마	
13	**lake** (lakes)	호수	
14	**study** (studies)	공부하다	
15	**math**	수학	
16	**home**	집; 집에	
17	**rabbit** (rabbits)	토끼	
18	**carrot** (carrots)	당근	
19	**wait** (waits)	기다리다	
20	**sandwich** (sandwiches)	샌드위치	
21	**box** (boxes)	상자	
22	**classroom** (classrooms)	교실	
23	**letter** (letters)	편지	
24	**woman** (women)	(성인) 여자	
25	**glasses**	안경	
26	**dry** (dries)	말리다; 마른, 건조한	
27	**hair**	머리, 머리카락	
28	**do the laundry** (does the laundry)	빨래를 하다	
29	**snow** (snows)	눈이 오다; 눈	
30	**market** (markets)	시장	
31	**stay** (stays)	머무르다	
32	**dinner**	저녁 식사	

1	**smile** (smiles)	미소 짓다	
2	**live** (lives)	살다	
3	**try** (tries)	시도하다	
4	**street** (streets)	거리, 도로	
5	**bread**	빵	
6	**library** (libraries)	도서관	
7	**draw** (draws)	그리다	
8	**crayon** (crayons)	크레용	
9	**homework**	숙제	
10	**house** (houses)	집	
11	**monkey** (monkeys)	원숭이	
12	**climb** (climbs)	오르다, 올라가다	
13	**tree** (trees)	나무	
14	**cry** (cries)	울다	
15	**open** (opens)	열다; 열려 있는	
16	**door** (doors)	문	
17	**table** (tables)	탁자, 테이블	
18	**pizza**	피자	
19	**parents**	부모님	
20	**drink** (drinks)	마시다; 음료	
21	**coffee**	커피	
22	**drum** (drums)	드럼, 북	

23	**take a picture** (take**s** a picture)	사진을 찍다	

UNIT 1

1	**go to bed** (goe**s** to bed)	잠자리에 들다	
2	**early**	일찍	
3	**tonight**	오늘밤	
4	**buy** (buy**s**)	사다, 구입하다	
5	**new**	새, 새로운	
6	**shoes**	신발	
7	**cold**	추운	
8	**tomorrow**	내일	
9	**soon**	곧, 머지않아	
10	**next week**	다음 주	
11	**next month**	다음 달	
12	**next year**	내년	
13	**exercise** (exercise**s**)	운동하다	
14	**late**	늦은; 늦게	
15	**invite** (invite**s**)	초대하다	
16	**school**	학교	
17	**sister** (sister**s**)	여동생, 누나, 언니	
18	**baseball**	야구	

19	**middle school**	중학교	
20	**learn** (learns)	배우다	
21	**Japanese**	일본어	
22	**spend** (spends)	(돈을) 쓰다; (시간을) 보내다	
23	**vacation** (vacations)	방학; 휴가	
24	**coat** (coats)	코트	
25	**go camping** (goes camping)	캠핑을 가다	
26	**weekend** (weekends)	주말	
27	**have a party** (has a party)	파티를 열다	
28	**pass** (passes)	통과하다; 지나가다	
29	**test** (tests)	시험	
30	**year** (years)	~살, 나이; 해, 년	
31	**old**	낡은, 오래된; 늙은	
32	**rain** (rains)	비가 오다; 비	
33	**party** (parties)	파티	
34	**France**	프랑스	
35	**uncle** (uncles)	삼촌, 고모부, 이모부	
36	**night**	밤	
37	**tell** (tells)	말하다	
38	**lie** (lies)	거짓말; 거짓말하다	
39	**kid** (kids)	아이	
40	**sand castle** (sand castles)	모래성	
41	**concert** (concerts)	콘서트, 연주회	
42	**start** (starts)	시작하다	

43	**busy**	바쁜	
44	**team** (teams)	팀, 단체	
45	**like** (likes)	좋아하다, 마음에 들어 하다	
46	**gift** (gifts)	선물	
47	**cloudy**	흐린, 구름이 많은	

UNIT 2

1	**fast food**	패스트푸드	
2	**here**	여기에	
3	**do** (does)	하다	
4	**museum** (museums)	박물관	
5	**shirt** (shirts)	셔츠	
6	**fun**	재미있는	
7	**go shopping** (goes shopping)	쇼핑하러 가다	
8	**visit** (visits)	방문하다	
9	**cousin** (cousins)	사촌	
10	**order** (orders)	주문하다; 명령하다	
11	**designer** (designers)	디자이너	
12	**player** (players)	선수	
13	**join** (joins)	함께하다	
14	**today**	오늘	
15	**build** (builds)	짓다, 만들다	
16	**hospital** (hospitals)	병원	

17	**sunny**	화창한	
18	**train** (trains)	기차	
19	**taxi** (taxis)	택시	
20	**Korea**	한국	
21	**guitar** (guitars)	기타	
22	**get up** (gets up)	일어나다	
23	**keep a diary** (keeps a diary)	일기를 쓰다	
24	**cookie** (cookies)	쿠키	
25	**tent** (tents)	텐트	
26	**plant** (plants)	심다; 식물	
27	**tomato** (tomatoes)	토마토	

CH 2 | EXERCISE + REVIEW (CH1-2)

1	**store** (stores)	가게, 상점	
2	**breakfast**	아침 식사	
3	**gym** (gyms)	체육관	
4	**see** (sees)	보다	
5	**dentist** (dentists)	치과의사	
6	**laptop** (laptops)	노트북 컴퓨터	
7	**tired**	피곤한, 지친	
8	**after school**	방과 후에	
9	**hotel** (hotels)	호텔	
10	**pie** (pies)	파이	

11	jeans	청바지	
12	dark	어두운	
13	Christmas Day	크리스마스 날	
14	skate (skates)	스케이트; 스케이트를 타다	
15	spaghetti	스파게티	
16	snowman (snowmen)	눈사람	
17	go fishing (goes fishing)	낚시하러 가다	
18	go hiking (goes hiking)	하이킹하러 가다	
19	take a walk (takes a walk)	산책하다	
20	leave (leaves)	(장소에서) 떠나다, 출발하다	
21	quiet	조용한	

| CHAPTER 3 | 다음 단어의 뜻을 확인하고, 세 번씩 따라 써보세요.

UNIT 1

1	very	매우, 아주	
2	be born	태어나다	
3	last year	작년	
4	delicious	맛있는	
5	pianist (pianists)	피아니스트	
6	angry	화난	
7	actor (actors)	배우	
8	neighbor (neighbors)	이웃	

9	**smart**	똑똑한	
10	**trip** (trips)	여행	
11	**great**	정말 좋은; 멋진; 대단한	
12	**easy**	쉬운	
13	**office** (offices)	사무실	
14	**hungry**	배고픈	
15	**child** (children)	아이	
16	**movie** (movies)	영화	
17	**scary**	무서운	
18	**classmate** (classmates)	반 친구	
19	**chair** (chairs)	의자	
20	**New Zealand**	뉴질랜드	
21	**noisy**	시끄러운	
22	**police officer** (police officers)	경찰관	
23	**T-shirt** (T-shirts)	티셔츠	
24	**expensive**	비싼, 돈이 많이 드는	
25	**bathroom** (bathrooms)	화장실	
26	**famous**	유명한	
27	**magician** (magicians)	마술사	
28	**bus stop** (bus stops)	버스 정류장	
29	**playground** (playgrounds)	놀이터; 운동장	
30	**heavy**	무거운	
31	**fault** (faults)	잘못	

| 32 | English | 영어; 영어의 | |

1	**laugh** (laughs)	웃다	
2	**arrive** (arrives)	도착하다	
3	**close** (closes)	닫다	
4	**worry** (worries)	걱정하다	
5	**plan** (plans)	계획; 계획하다	
6	**hug** (hugs)	안다, 껴안다	
7	**drop** (drops)	떨어지다, 떨어뜨리다	
8	**enjoy** (enjoys)	즐기다	
9	**stand** (stands)	서다, 서 있다	
10	**get** (gets)	받다, 얻다	
11	**wake** (wakes)	깨다, 일어나다	
12	**give** (gives)	주다	
13	**put** (puts)	놓다, 두다	
14	**Japan**	일본	
15	**novel** (novels)	소설	
16	**police**	경찰	
17	**finish** (finishes)	끝내다, 마치다	
18	**son** (sons)	아들	
19	**orange** (oranges)	오렌지	
20	**grandparents**	조부모님	
21	**bookstore** (bookstores)	서점	

22	**this morning**	오늘 아침	
23	**Denmark**	덴마크	
24	**time**	시간	
25	**try one's best** (tries one's best)	최선을 다하다	
26	**last month**	지난달	
27	**chocolate**	초콜릿	
28	**yoga**	요가	
29	**baby** (babies)	아기	
30	**do the dishes** (does the dishes)	설거지를 하다	
31	**drone** (drones)	드론	
32	**fly** (flies)	날다	
33	**low**	낮게; 낮은	
34	**cellphone** (cellphones)	휴대전화	
35	**big**	큰	
36	**truck** (trucks)	트럭	

UNIT 3

1	**jacket** (jackets)	재킷	
2	**know** (knows)	알다	
3	**answer** (answers)	대답; 대답하다	
4	**fast**	빠른; 빠르게	
5	**good**	좋은	
6	**city** (cities)	도시	

7	brush one's teeth (brushes one's teeth)	이를 닦다	
8	bring (brings)	가져오다	
9	want (wants)	원하다, 바라다	
10	well	잘	
11	behind	~ 뒤에	
12	lose (loses)	잃어버리다; 지다	
13	present (presents)	선물	
14	catch (catches)	잡다	
15	thief (thieves)	도둑	
16	can (cans)	캔	
17	soda	탄산음료	
18	milk	우유	
19	science	과학	
20	bridge (bridges)	다리	
21	hour (hours)	1시간	
22	ago	~ 전에	
23	forget (forgets)	잊다, 까먹다	
24	birthday	생일	

CH 3 | EXERCISE + REVIEW (CH2-3)

1	scared	겁먹은, 무서워하는	
2	pilot (pilots)	비행기 조종사	
3	little	작은; 조금의, 약간의	

4	**brave**	용감한	
5	**umbrella** (umbrellas)	우산	
6	**singer** (singers)	가수	
7	**sad**	슬픈	
8	**pool** (pools)	수영장	
9	**Spain**	스페인	
10	**sweet**	달콤한, 단	
11	**vase** (vases)	꽃병, 화병	
12	**hurry** (hurries)	서두르다	
13	**taekwondo**	태권도	
14	**theater** (theaters)	극장, 영화관	
15	**catch a cold** (catches a cold)	감기에 걸리다	
16	**shy**	수줍어하는, 부끄러워하는	
17	**subway** (subways)	지하철	
18	**dirty**	더러운, 지저분한	
19	**minute** (minutes)	1분	
20	**restaurant** (restaurants)	식당, 레스토랑	
21	**go on a picnic** (goes on a picnic)	소풍을 가다	

| CHAPTER 4 | 다음 단어의 뜻을 확인하고, 세 번씩 따라 써보세요.

UNIT 1

1	**violin** (violins)	바이올린	

2	**speak** (speaks)	말하나	
3	**sure**	그럼요, 물론이죠	
4	**okay**	좋아, 그래	
5	**sorry**	미안해	
6	**ski** (skis)	스키; 스키를 타다	
7	**golf**	골프	
8	**Korean**	한국어; 한국의	
9	**pasta**	파스타	
10	**touch** (touches)	만지다	
11	**painting** (paintings)	그림	
12	**solve** (solves)	해결하다	
13	**problem** (problems)	문제	
14	**penguin** (penguins)	펭귄	
15	**turn off** (turns off)	(전기 등을) 끄다	
16	**light** (lights)	빛; (전깃)불, 전등	
17	**borrow** (borrows)	빌리다	
18	**lift** (lifts)	들다, 들어올리다	
19	**bee** (bees)	벌	
20	**honey**	꿀	
21	**high**	높은	
22	**question** (questions)	질문; (시험 등의) 문제	
23	**magic**	마술	
24	**window** (windows)	창문	
25	**Chinese**	중국어; 중국의	

26	**outside**	바깥, 밖	
27	**robot** (robots)	로봇	
28	**eraser** (erasers)	지우개	
29	**spicy**	매운	
30	**food**	음식	
31	**exam** (exams)	시험	
32	**cross** (crosses)	건너다	

UNIT 2

1	**visitor** (visitors)	방문객	
2	**feed** (feeds)	먹이다; 먹이를 주다	
3	**animal** (animals)	동물	
4	**come in** (comes in)	들어오다	
5	**ice cream**	아이스크림	
6	**ask** (asks)	묻다	
7	**go out** (goes out)	나가다	
8	**pencil** (pencils)	연필	
9	**ticket** (tickets)	표, 티켓	
10	**pet** (pets)	반려동물	

CH 4 | EXERCISE + REVIEW (CH3-4)

1	**copy machine** (copy machines)	인쇄기, 복사기	

2	**water**	물	
3	**pick** (picks)	꺾다; 고르다	
4	**flower** (flowers)	꽃	
5	**broom** (brooms)	빗자루	
6	**horse** (horses)	말	
7	**kangaroo** (kangaroos)	캥거루	
8	**turn on** (turns on)	(전기 등을) 켜다	
9	**bed** (beds)	침대	
10	**hear** (hears)	듣다	
11	**voice** (voices)	목소리	
12	**hamburger** (hamburgers)	햄버거	
13	**last week**	지난주	
14	**elevator** (elevators)	엘리베이터, 승강기	
15	**floor** (floors)	층; 바닥	
16	**last night**	어젯밤	
17	**scientist** (scientists)	과학자	
18	**yesterday**	어제	

| CHAPTER 5 | 다음 단어의 뜻을 확인하고, 세 번씩 따라 써보세요.

UNIT 1

1	**desk** (desks)	책상	
2	**name** (names)	이름	

3	**weather**	날씨	
4	**rainy**	비가 오는	
5	**fine**	좋은; 건강한	
6	**happy**	행복한	
7	**socks**	양말	
8	**notebook** (notebooks)	공책	
9	**tall**	키가 큰; 높은	
10	**interesting**	흥미로운, 재미있는	
11	**job** (jobs)	일, 직업	
12	**favorite**	가장 좋은	
13	**color** (colors)	색	
14	**class** (classes)	수업	
15	**next**	다음	
16	**picnic** (picnics)	소풍	
17	**movie theater** (movie theaters)	영화관	
18	**drawer** (drawers)	서랍	
19	**best**	최고의, 가장 좋은	
20	**festival** (festivals)	축제	

UNIT 2

1	**vet** (vets)	수의사	
2	**end** (ends)	끝나다; 끝	
3	**story** (stories)	이야기	

4	**hard**	열심히; 어려운, 힘든, 딱딱한	
5	**online**	온라인	
6	**free time**	여가 시간	
7	**winter**	겨울	
8	**last weekend**	지난 주말	
9	**plane** (planes)	비행기	

UNIT 3

1	**often**	자주, 종종	
2	**day** (days)	날, 하루	
3	**grade**	학년	
4	**twice**	두 번	
5	**need** (needs)	필요하다	
6	**begin** (begins)	시작하다	
7	**scarf** (scarves)	스카프, 목도리	
8	**dollar** (dollars)	달러 《미국 화폐 단위》	
9	**money**	돈	
10	**once**	한 번	
11	**egg** (eggs)	달걀, 계란	
12	**photo** (photos)	사진	
13	**butter**	버터	
14	**eat out** (eats out)	외식하다	
15	**building** (buildings)	빌딩, 건물	

16	**idea** (ideas)	생각, 아이디어	
17	**juice**	주스	

CH 5 | EXERCISE + REVIEW (CH4-5)

1	**cafe** (cafes)	카페	
2	**second**	두 번째의	
3	**peach** (peaches)	복숭아	
4	**slipper** (slippers)	실내화	
5	**say** (says)	말하다	
6	**holiday** (holidays)	휴일	
7	**difficult**	어려운	
8	**winner** (winners)	우승자	
9	**sweater** (sweaters)	스웨터	
10	**subject** (subjects)	과목	
11	**remember** (remembers)	기억하다	
12	**phone number** (phone numbers)	전화번호	

| CHAPTER 6 | 다음 단어의 뜻을 확인하고, 세 번씩 따라 써보세요.

UNIT 1

1	**careful**	조심하는	
2	**rude**	예의 없는, 무례한	
3	**bag** (bags)	가방	

4	**textbook** (textbooks)	교과서	
5	**stair** (stairs)	계단	
6	**fight** (fights)	싸우다	
7	**honest**	정직한, 솔직한	
8	**together**	함께	
9	**seat belt** (seat belts)	안전벨트	
10	**loudly**	크게, 큰 소리로	
11	**cheese**	치즈	
12	**return** (returns)	돌아오다, 돌아가다	
13	**seat** (seats)	좌석, 자리	
14	**throw** (throws)	던지다	
15	**trash**	쓰레기	

UNIT 2

1	**cute**	귀여운	
2	**long**	(길이가) 긴	
3	**puppy** (puppies)	강아지	
4	**slowly**	느리게, 천천히	
5	**pretty**	예쁜, 귀여운	
6	**snail** (snails)	달팽이	
7	**lazy**	게으른	
8	**beautifully**	아름답게	
9	**bird** (birds)	새	

10	beautiful	아름다운	
11	bright	밝은	
12	moon	달	
13	handsome	잘생긴	
14	funny	재미있는	
15	comfortable	편안한	
16	nice	친절한; 좋은, 멋진	
17	friendly	친절한, 다정한	
18	cheap	(값이) 싼	
19	strong	강한, 힘이 센	
20	warm	따뜻한	
21	gloves	장갑	

CH 6 | EXERCISE + REVIEW (CH5-6)

1	first	첫 번째의; 맨 먼저	
2	afraid	두려워하는, 무서워하는	
3	doctor (doctors)	의사	
4	take off (takes off)	(신발, 옷 등)을 벗다	
5	put on (puts on)	(신발, 옷 등)을 입다	
6	bug (bugs)	벌레	
7	large	(규모가) 큰, (양이) 많은	
8	waste (wastes)	낭비하다	
9	again	다시	

10	carefully	조심스럽게, 주의하여	
11	hot	뜨거운, 더운; 매운	

| 다음 단어의 뜻을 확인하고, 세 번씩 따라 써보세요.

UNIT 1

1	salad	샐러드	
2	kind	친절한	
3	always	항상	
4	sugar	설탕	
5	exciting	신나는, 흥미진진한	
6	think (thinks)	생각하다	
7	eye (eyes)	눈	
8	blue	파란색의; 파란색	
9	soft	부드러운	
10	easily	쉽게	
11	happily	행복하게	
12	under	~ 아래에	
13	model (models)	(패션) 모델	
14	perfect	완벽한	
15	feel (feels)	~한 기분이 들다, ~하게 느껴지다	
16	quietly	조용하게	
17	backpack (backpacks)	책가방, 배낭	

18	**a cup of** (cups of)	~의 한 잔	
19	**far from**	~에서 멀리	
20	**knife** (knives)	칼	
21	**popular**	인기 있는	

UNIT 2

1	**star** (stars)	별	
2	**shine** (shines)	빛나다	
3	**look** (looks)	~해 보이다	
4	**smell** (smells)	~한 냄새가 나다	
5	**sound** (sounds)	~하게 들리다	
6	**taste** (tastes)	~한 맛이 나다	
7	**airplane** (airplanes)	비행기	
8	**sky**	하늘	
9	**strange**	이상한	
10	**aunt** (aunts)	이모, 고모, 숙모	
11	**headache** (headaches)	두통	
12	**station** (stations)	(기차)역, 정거장	
13	**really**	정말	
14	**sour**	(맛이) 신	
15	**stawberry** (strawberries)	딸기	
16	**find** (finds)	찾다, 발견하다	
17	**smooth**	매끄러운	

18	**break** (breaks)	깨다; 깨어지다	
19	**steak** (steaks)	스테이크	
20	**soup**	수프, 국	
21	**true**	사실인, 맞는	

CH 7 | EXERCISE + REVIEW (CH6-7)

1	**artist** (artists)	예술가	
2	**sell** (sells)	팔다	
3	**rise** (rises)	뜨다; 오르다	
4	**east**	동쪽	
5	**stage** (stages)	무대	
6	**sleepy**	졸린	
7	**too**	너무	
8	**hurt** (hurts)	다치게 하다; 다친	
9	**leg** (legs)	다리	
10	**all night**	밤새도록	
11	**song** (songs)	노래	
12	**sadness**	슬픔	
13	**wind**	바람	
14	**sport**	스포츠	

1	**week** (weeks)	주, 일주일	
2	**firefighter** (firefighters)	소방관	
3	**sick**	아픈	
4	**America**	미국; 아메리카	
5	**jump rope** (jump ropes)	줄넘기를 하다; 줄넘기	
6	**raincoat** (raincoats)	우비	
7	**dress** (dresses)	드레스, 원피스	
8	**hand** (hands)	손	
9	**sing** (sings)	노래하다	
10	**take a photo** (takes a photo)	사진을 찍다	
11	**paper**	종이	
12	**miss** (misses)	그리워하다; 놓치다	
13	**pants**	바지	
14	**wallet** (wallets)	지갑	
15	**brightly**	밝게	

초등 필수 영문법의 **기초를 탄탄히** 쌓는

· Start 시리즈 ·

초등 교과 과정의
필수 기초 문법

초등 필수 영문법을 **완벽하게 마무리**하는

· Plus 시리즈 ·

초등 교과 과정의
필수 기초 문법 및 심화 문법

부가자료 다운로드
www.cedubook.com

EGU

THE EASIEST GRAMMAR & USAGE

EGU 시리즈 소개

EGU 서술형 기초 세우기

영단어&품사

서술형·문법의 기초가 되는
영단어와 품사 결합 학습

문장 형식

기본 동사 32개를 활용한
문장 형식별 학습

동사 써먹기

기본 동사 24개를 활용한
확장식 문장 쓰기 연습

EGU 서술형·문법 다지기

문법 써먹기

개정 교육 과정
중1 서술형·문법 완성

구문 써먹기

개정 교육 과정
중2, 중3 서술형·문법 완성

쎄듀

What's

Grammar ⁺Plus

2

정답과 해설

쎄듀

왓츠
What's
Grammar ⁺Plus

정답과 해설

2

CHAPTER 1 현재진행형

UNIT 1 현재진행형의 긍정문

Step 2   p.13

A 1 helping   2 teaching   3 looking
   4 walking   5 jumping   6 holding
   7 talking   8 reading   9 sleeping
   10 calling   11 carrying   12 eating
   13 moving   14 taking   15 making
   16 coming   17 driving   18 baking
   19 using   20 writing   21 hitting
   22 sitting   23 running   24 swimming
   25 stopping   26 cutting   27 lying
   28 dying
→ 1~12 동사원형 뒤에 -ing를 붙인다.
   13~20 -e로 끝나는 동사이므로 e를 빼고 -ing를
        붙인다.
   21~26 '모음 1개+ 자음 1개'로 끝나는 동사이므로
        마지막 자음을 한 번 더 쓰고 -ing를 붙인다.
   27, 28 -ie로 끝나는 동사이므로 ie를 y로 바꾸고
        -ing를 붙인다.

B 1 is, reading   2 are, sleeping
   3 is, writing   4 are, having
   5 is, playing   6 are, swimming
   7 has
→ 1 그녀는 신문을 읽고 있다.
   2 그 곰들은 지금 자고 있다.
   3 제임스 씨는 이메일을 쓰고 있다.
   4 케이트와 제인은 점심을 먹고 있다. / have가
     '먹다'라는 의미일 때는 진행형으로 쓸 수 있다.
   5 내 남동생[형, 오빠]은 컴퓨터 게임을 하고 있다.
   6 돌고래들은 바다에서 헤엄치고 있다.
   7 낸시는 스케이트보드를 가지고 있다. / have가

'가지다'라는 소유의 의미일 때는 진행형으로 쓸
수 없다.

C 1 is wearing   2 am taking
   3 is riding   4 are working
   5 is cleaning   6 are running
   7 is lying

Step 3   p.15

A 1 He is driving a bus.
   2 They are fixing the car.
   3 She is cutting the cake.
   4 Jake is watching the soccer game.
   5 His family is lying on the beach.

B 1 Billy is meeting his friends.
   2 He is[He's] washing the dishes.
   3 The cats are lying on the sofa.
   4 The man is painting the wall.
   5 The students are having lunch.

UNIT 2 현재진행형의 부정문과 의문문

Step 2   p.17

A 1 ☑ using   2 ☑ playing
   3 ☑ working   4 ☑ listening
   5 ☑ singing
→ not은 be동사 am/are/is 뒤에 온다.
→ 1 나는 컴퓨터를 사용하고 있지 않다.
   2 그들은 공을 가지고 놀고 있지 않다.
   3 그 남자는 정원에서 일하고 있지 않다.
   4 그 남자아이들은 선생님의 말을 듣고 있지 않다.

5 브라이언과 잭은 노래를 부르고 있지 않다.

B 1 isn't moving   2 Are, jumping
3 I'm not   4 Is, buying
5 is not, cooking   6 Are, looking
7 Are, playing   8 Are, swimming

C 1 are not studying   2 is not sitting
3 are not going
4 Is, sleeping, she isn't
5 Are, eating, they are

D 1 Is   2 lying   3 you making
4 going   5 Is   6 cleaning
7 Is   8 isn't[is not]

→ 1 네 친구는 기다리고 있니? / 주어 your friend 뒤에 동사의 -ing형이 있으므로 현재진행형의 의문문이 되도록 be동사 Is로 고친다.
2 그는 소파 위에 누워 있지 않다. / lie는 -ie로 끝나는 동사이므로 ie를 y로 바꾸고 -ing형을 붙인다.
3 너는 샌드위치를 만들고 있니? / 의문문이므로 「be동사+주어+동사의 -ing형 ~?」의 순서가 되어야 한다.
4 그들은 동물원에 가고 있지 않다. / 한 문장 안에 are와 go 둘 다 쓰일 수 없으므로 현재진행형 문장이 되도록 go를 going으로 고친다.
5 그 남자아이는 상자를 나르고 있니?
6 우리는 교실을 청소하고 있지 않다.
7 케이트는 편지를 쓰고 있니? / 주어가 3인칭 단수 Kate(→ She)이므로 Is로 시작한다.
8 그 여자는 안경을 쓰고 있지 않다. / 주어가 3인칭 단수 The woman이므로 isn't[is not]가 알맞다.

Step 3   p.19

A 1 Is Henry drying his hair?
2 He is not doing the laundry.
3 Is it snowing
4 Are they going to the market?

5 I am not staying at home.

B 1 She isn't riding a bike.
2 Is Sena washing her hands?
3 The men aren't[are not] cutting trees.
4 Are the cats lying on the grass?
5 He isn't[is not] having dinner.

CHAPTER EXERCISE

CHAPTER 1   p.20

01 ④   02 ⑤   03 having   04 isn't
05 listening   06 Are   07 ④   08 ④
09 ②   10 ②   11 ④   12 ④
13 are fixing   14 are running
15 is lying   16 are climbing   17 ⑤
18 Are they moving the table?
19 Kelly is not[isn't] going to the library.
20 Is her grandma working in the garden?
21 ②   22 am not eating
23 are drinking   24 playing
25 taking

01 ④ smile은 -e로 끝나는 동사이므로 e를 빼고 -ing를 붙인 smiling이 되어야 한다.
02 ⑤ win은 '모음 1개+ 자음 1개'로 끝나는 동사이므로 마지막 자음을 한 번 더 쓰고 -ing를 붙인다.
03 그들은 점심을 먹고 있다. / 앞에 be동사 are가 있으므로 현재진행형을 만드는 having이 적절하다.
04 그의 아빠는 벽을 페인트칠하고 있지 않다. / 주어가 3인칭 단수 His dad(→ He)이므로 isn't가 알맞다.
05 메이슨과 나는 음악을 듣고 있다.
06 그 고양이들은 거리를 걷고 있니? / 의문문의 주어 the cats 뒤에 동사의 -ing이 있으므로 현재진행

정답과 해설   **3**

형 의문문을 만드는 Are가 알맞다.

07 너는 네 방을 청소하고 있니?

08 · 나의 엄마는 차를 운전하고 계신다. · 너는 이메일을 쓰고 있니?

09 · 조는 지금 일하고 있다. · 나의 언니[여동생, 누나]는 빵을 굽고 있다. / 두 문장의 주어가 모두 3인칭 단수 Joe(→ He), My sister(→ She)이므로 isn't가 알맞다.

10 Q: 네 형[오빠, 남동생]은 공부하고 있니? A: <u>응, 그래.</u>

11 Q: 그 학생들은 도서관에 가는 중이니? A: <u>아니, 그렇지 않아.</u> / 의문문의 주어가 복수 명사 the students이므로 대명사 they로 바꿔서 대답한다.

12 ① 그는 자고 있다. ② 우리는 춤을 추고 있지 않다. ③ 그들은 그림을 그리고 있다. ④ 그들은 크레용을 사용하고 있니? ⑤ 나는 숙제를 하고 있지 않다. / ① sleep의 -ing형은 sleeping이다. ② 주어가 We이므로 be동사 are가 알맞다. ③ 한 문장 안에 동사가 두 개 쓰일 수 없으므로, 현재진행형이 되도록 draw를 drawing으로 고치거나 are를 지운다. ⑤ not은 be동사 뒤에 쓰인다.

17 ① 그 아기는 울고 있다. ② 그는 문을 열고 있다. ③ 나는 TV를 보고 있지 않다. ④ 너는 축구를 하고 있니? ⑤ 그녀는 자동차를 가지고 있다. / have가 '가지다'라는 소유의 의미일 때는 진행형으로 쓸 수 없으므로 is having을 has로 고친다.

18 그들은 탁자를 옮기고 있다. → 그들은 탁자를 옮기고 있니?

19 켈리는 도서관에 가고 있다. → 켈리는 도서관에 가고 있지 않다.

20 그녀의 할머니는 정원에서 일하고 계신다. → 그녀의 할머니는 정원에서 일하고 계시니?

21 ① Q: 너는 점심을 먹고 있니? A: 응, 그래. ② Q: 너의 개는 자고 있니? A: 아니, 그렇지 않아. ③ Q: 샘은 자전거를 타고 있니? A: 아니, 그렇지 않아. ④ Q: 그들은 학교에 가고 있니? A: 응, 그래. ⑤ Q: 네 언니[여동생, 누나]는 피아노를 치고 있니? A: 아니, 그렇지 않아. / ② 주어가 3인칭 단수 your dog이므로 대명사 it으로 바꿔 대답하고 뒤에는 isn't가 와야 한다.

22 am not은 줄여 쓸 수 없다.

23 주어가 복수 명사 My parents(→ They)이므로 be동사는 are가 알맞다.

CHAPTER 2 미래시제

UNIT 1 will

Step 2　　　　　　　　　　　**p.25**

A　1 will　　2 will　　3 visit
　　4 play　　5 be　　6 will not learn
　　7 won't　　8 spend

→ 1 '~할 것이다'는 will을 사용하여 나타낸다.
2 will은 조동사이므로 주어에 상관없이 항상 will로 쓴다.
3, 4, 5 will 뒤에는 항상 동사원형이 온다.
6 will의 부정문은 「will not+동사원형」의 형태로 쓴다.
7 will not의 줄임말은 won't이다.

8 will의 의문문에서도 주어 뒤에는 항상 동사원형
이 온다.

B 1 I will   2 he will   3 she won't
→ will 의문문에 대한 대답은 「Yes, 주어+will.」 또는
「No, 주어+won't.」로 한다.

C 1 won't call   2 will pass
3 will be   4 won't[will not] rain
5 Will, come   6 will be
7 Will, drive
→ 1, 4 '~하지 않을 것이다'는 will의 부정문 「will
not[won't]+동사원형」으로 쓴다.
5, 7 '~할 거니?'는 will의 의문문 「Will+주어+동사
원형 ~?」으로 쓴다.

D 1 will be   2 won't[will not]
3 I'll[I will]   4 Will the kids
5 will start   6 won't[will not] be
→ 1 밤에는 추울 것이다. / will은 주어에 상관없이
항상 will로 쓴다.
2 노아는 거짓말을 하지 않을 것이다.
3 나는 다음 주 토요일에 그를 만날 것이다.
4 그 아이들은 모래성을 만들 거니?
5 그 콘서트는 다음 달에 시작할 것이다. /
will 뒤에는 항상 동사원형이 온다.
6 엄마는 다음 달에 바쁘지 않을 것이다. /
won't 뒤에는 항상 동사원형이 온다. be동사 is
의 원형 be로 고쳐 쓴다.

Step 3   **p.27**

A 1 Our team will win the game.
2 Will it snow tonight?
3 My friend won't[will not] like this gift.
4 Will Julian wash his car?
5 My family will make a Christmas tree.
→ 1 우리 팀이 그 경기를 이기지 않을 것이다.
→ 우리 팀이 그 경기를 이길 것이다.
2 오늘 밤에 눈이 올 것이다. → 오늘 밤에 눈이
올까?
3 내 친구는 이 선물을 좋아할 것이다. → 내 친구

는 이 선물을 좋아하지 않을 것이다.
4 줄리안은 세차를 할 것이다. → 줄리안은 세차를
할 거니?
5 나의 가족은 크리스마스트리를 만들지 않을 것
이다. → 나의 가족은 크리스마스트리를 만들 것
이다.

B 1 My uncle will fix the computer.
2 Danny won't[will not] play tennis
3 Will you meet your friend
4 It won't[will not] be cloudy
5 Will they watch the soccer game?

UNIT 2 be going to

A 1 is   2 watch   3 is
4 is going   5 isn't going   6 are
7 Are   8 to be
→ 1 뒤에 going to가 있으므로 be동사 is가 알맞다.
2 be going to 뒤에는 항상 동사원형이 온다.
3 Frank(→ He)는 3인칭 단수 주어이므로 is가
알맞다.
4 뒤에 to be가 있으므로 is going이 알맞다.
6 주어가 복수 명사 My sister and I(→ We)이므
로 are가 알맞다.
7 주어 뒤에 going to가 있으므로 Are가 알맞다.

B 1 No, I'm not.   2 Yes, he is.
3 No, she isn't.
→ 1 Q: 너는 일찍 잘 거니? A: 아니, 그러지 않을
거야. / be going to 의문문의 대답은 주어 뒤에
be동사가 와야 한다.
2 Q: 피터는 저녁 식사를 요리할 거니?
A: 응, 그럴 거야.
3 Q: 네 언니[여동생, 누나]는 경기에 함께할
예정이니? A: 아니, 그러지 않을 거야. / 의문문
의 주어가 3인칭 단수 your sister이므로 대답

의 주어는 she가 알맞다.

C 1 isn't going to be 2 is going to help
3 are going to wash 4 am going to meet
5 Are, going to build
6 aren't[are not] going to go

→ 1, 6 '~하지 않을 것이다'는 「be동사+not+going
to+동사원형」으로 쓴다. is not은 isn't로 are
not은 aren't로 줄여 쓸 수 있다.

D 1 play   2 to be   3 am not
4 Are   5 isn't[is not] 6 wash
7 not going   8 Is

→ 1 그들은 테니스를 칠 거니? / be going to 뒤에
는 항상 동사원형이 온다.
2 내일은 화창할 것이다.
3 나는 바다에서 수영을 하지 않을 것이다. /
am not은 줄여 쓸 수 없다.
4 너는 빨래를 할 예정이니?
5 기차는 10시에 도착하지 않을 것이다.
6 에이미는 그녀의 개를 목욕시킬 거니?
7 래리는 집에 일찍 오지 않을 것이다. / not은 be
동사 뒤에 와야 한다.
8 네 할머니는 새 차를 사실 예정이니? / 주어
your grandma 뒤에 going to가 있으므로
의문문은 Is로 시작해야 한다.

Step 3   **p.31**

A 1 She isn't going to take a taxi.
2 Is Elly going to visit Korea?
3 We aren't going to learn guitar.
4 Are they going to be 10 years old
5 I'm[I am] going to get up

→ 1 그녀는 택시를 탈 것이다. → 그녀는 택시를
타지 않을 것이다.
2 엘리는 한국을 방문할 예정이다. → 엘리는 한국
을 방문할 예정이니?
3 우리는 기타를 배울 것이다. → 우리는 기타를
배우지 않을 것이다.
4 그들은 내년에 10살이 될 것이다. → 그들은 내년

에 10살이 되니?
5 나는 내일 일찍 일어나지 않을 것이다. → 나는
내일 일찍 일어날 것이다.

B 1 Is she going to keep a diary?
2 I am[I'm] going to eat some cookies.
3 He is not[isn't] going to clean his
house
4 Are you going to sleep in a tent?
5 Mark and I are going to plant
tomatoes.

CHAPTER EXERCISE

CHAPTER 2   **p.32**

01 ③, ⑤   02 ④   03 ⑤   04 ②
05 ②   06 won't   07 be
08 not going   09 ③   10 Will, snow
11 to skate   12 won't eat
13 Are, going to make   14 Are, aren't
15 Will, won't   16 Is   17 build
18 going   19 ⑤
20 The students are going to go to
Jeju

01 ① 그 가게는 오늘 문을 연다. ② 나는 숙제를 하고
있다. ③ 그녀는 서울에서 일할 것이다. ④ 그는
매일 아침을 먹는다. ⑤ 우리는 내일 체육관에
갈 것이다. / 미래를 나타내는 표현 will 또는 be
going to가 쓰인 문장을 찾는다. ①, ④는 현재를
나타내고, ②는 현재진행형이 쓰여 '~하는 중이다'
라는 의미를 나타낸다.

02 신디는 내일 콘서트에 가지 않을 것이다. / 빈칸
뒤에 동사원형이 오므로 들어갈 수 있는 것은
④ won't이다.

03 잭은 다음 주에 그 집에 페인트를 칠할 것이다. /
빈칸 뒤에 'to+동사원형'이 오므로 ⑤가 알맞다.

04 나는 내일 치과에 가지 않을 것이다. / will의 부정

문은 will 뒤에 not이 온다.

05 사라는 새 노트북을 사지 않을 것이다. / be going
   to의 부정문은 be동사 뒤에 not이 온다.

09 ① 너는 파이를 구울 거니? ② 나는 오늘 밤에 운
   동을 하지 않을 것이다. ③ 그는 청바지를 살 거
   니? ④ 곧 어두워질 것이다. ⑤ 그 남자아이들은 소파
   위에서 뛸 것이다. / ③ be going to 뒤에는 항상
   동사원형이 온다.

14 Q: 그들은 낚시를 하러 갈 예정이니? A: 아니, 그러
   지 않을 거야. 그들은 하이킹을 하러 갈 거야.

15 Q: 너는 산책을 할 거니? A: 아니, 그러지 않을
   거야. 나는 집에 머물 거야.

16 주어 it 뒤에 going to가 있으므로 Is로 시작하는
   미래형 문장이 되어야 한다.

17 will 뒤에는 항상 동사원형이 온다. He'll = He will

19 ① 그는 우리를 초대할 것이다. ② 그들은 조용히
   하지 않을 것이다. ③ 샘은 세차를 할 것이다.
   ④ 나는 내일 그 집을 치울 것이다. ⑤ 우리는 다음
   주말에 박물관에 갈 것이다. / ① invites를 동사원
   형 invite로 고친다. ② won't 뒤에는 동사원형이
   오므로 to be를 be로 고친다. ③ wash를 to wash
   로 고친다. ④ cleaning을 동사원형 clean으로
   고친다.

A 1 taking   2 sitting   3 isn't doing
   4 to watch   5 listening
B 1 are eating   2 won't eat
   3 Is, coming   4 Are, going to come
   5 are running   6 isn't going to run

A 1 우리는 산책을 하고 있다.
   2 내 여동생[언니, 누나]은 벤치에 앉아 있다.
   3 딘은 숙제를 하고 있지 않다.
   4 내 남동생[오빠, 형]은 TV를 볼 것이다.
   5 그들은 지금 음악을 듣고 있니?

B 1, 5 '~하고 있다'는 현재진행형 「be동사+동사의
   -ing형」으로 나타낸다. run은 '모음 1개+자음
   1개'로 끝나는 동사이므로 마지막 자음 n을
   한 번 더 쓰고 뒤에 -ing를 붙인다.
   3 '~하고 있니?'는 현재진행형의 의문문 「be동사+
   주어+동사의 -ing형」으로 나타낸다. come은
   -e로 끝나는 동사이므로 e를 지우고 뒤에 -ing
   를 붙인다.

CHAPTER
3
과거시제

UNIT 1 be동사의 과거형

Step 2   p.37

A 1 was, ☑   2 is   3 were, ☑   4 is

   5 was, ☑   6 were, ☑   7 are
→ 1 그 남자는 배우였다.
   2 티나는 집에 있다.
   3 그들은 내 이웃들이었다.
   4 스미스 씨는 지금 부산에 있다.

5 어제는 추웠다.

6 우리는 어제 피곤했다.

7 에밀리와 그녀의 여동생[언니]은 똑똑하다.

B
1 were   2 was   3 were
4 was   5 was   6 were
7 was   8 was   9 were

→ 2 주어가 단수 명사 The trip(→ It)이므로 was가
알맞다.

3 주어가 복수 명사 The rooms(→ They)이므로
were가 알맞다.

4 주어가 단수 명사 The test(→ It)이므로 was가
알맞다.

6 주어가 복수 명사 Kelly and I(→ We)이므로
were가 알맞다.

7 주어가 단수 명사 Mr. Jones(→ He)이므로 was
가 알맞다.

8 주어가 단수 명사 Harry(→ He)이므로 was가
알맞다.

9 주어가 복수 명사 The children(→ They)이므
로 were가 알맞다.

C
1 was not   2 were not   3 was not
4 Were, weren't   5 Were, was
6 Was, was

→ 4 의문문의 주어가 복수 명사 the chairs
(→ They)이므로 Were가 알맞다. 부정의 대답
이므로 주어 they 뒤에는 weren't를 쓴다.

5 의문문의 주어가 you이므로 Were로 묻고,
대답의 주어는 I이므로 뒤에 was를 쓴다.

D
1 The kids were noisy.

2 Was the concert great?

3 Jake and I were not[weren't] at the park.

4 John was a police officer.

→ be동사 과거형의 부정문은 「was/were+not」으로
나타내고, 의문문은 「Was/Were+주어 ~?」로 나타
낸다.

→ 1 그 아이들은 시끄러웠다.

2 그 콘서트는 아주 좋았니?

3 제이크와 나는 공원에 있지 않았다.

4 존은 경찰관이었다.

Step 3   p.39

A
1 Was the T-shirt expensive?

2 The bathroom was not clean.

3 They were famous magicians.

4 Mark was at the bus stop.

5 The boys were not at the playground.

B
1 The box was really heavy.

2 Were they in the library?

3 It was not[wasn't] my fault.

4 Logan and I were late for school.

5 Was she your English teacher?

→ 1 주어가 단수 명사 The box(→ It)이므로 주어
다음에 was를 쓴다.

4 주어가 복수 명사 Logan and I(→ We)이므로
주어 다음에 were를 쓴다.

UNIT 2 일반동사의 과거형 (규칙/불규칙)

Step 2   p.41

A
1 cried   2 learned   3 got
4 rained   5 arrived   6 read
7 stopped   8 finished   9 went
10 ate

→ 1 '자음+y'로 끝나는 동사의 과거형은 y를 i로
바꾸고 -ed를 붙인다.

3 동사 get의 과거형은 got이다.

4 과거를 나타내는 시간 표현 last week(지난주)
가 있으므로 동사의 과거형으로 나타내야 한다.

5 -e로 끝나는 동사의 과거형은 뒤에 -d만 붙인다.

6 동사 read의 과거형은 현재형과 형태가 같은
read이다. 형태는 같지만, 과거형 read는
[red(레드)]로 읽는 것에 주의한다.

7 '모음 1개+자음 1개'로 끝나는 동사의 과거형은

마지막 자음을 한 번 더 쓰고 -ed를 붙인다.

9 동사 go의 과거형은 went이다.

10 동사 eat의 과거형은 ate이다.

B 1 hugged   2 cut   3 visited

4 met   5 studied   6 walked

7 lived

→ 1 그녀는 아들을 껴안았다. / hug는 '모음 1개+자음 1개'로 끝나는 동사이므로 마지막 자음을 한 번 더 쓰고 -ed를 붙인다.

2 그는 오렌지를 잘랐다. / 동사 cut은 현재형과 과거형의 형태가 같다.

3 제임스는 그의 조부모님을 방문했다.

4 나는 그 서점에서 제니를 만났다. / 동사 meet의 과거형은 met이다.

5 그 남자아이는 어제 과학을 공부했다. / study는 '자음+y'로 끝나는 동사이므로 y를 i로 바꾸고 -ed를 붙인다.

6 네이트는 오늘 아침 학교에 걸어갔다.

7 나의 삼촌은 5년 동안 덴마크에 사셨다. / live는 -e로 끝나는 동사이므로 뒤에 -d만 붙인다.

C 1 stayed   2 had   3 tried

4 moved   5 put

→ 2 '좋은 시간을 가지다[보내다]'는 have a great time으로 나타낸다. have의 과거형은 had이다.

3 '최선을 다하다'는 try one's best로 나타낸다. try는 '자음+y'로 끝나는 동사이므로 y를 i로 바꾸고 -ed를 붙인다.

5 동사 put(넣다)은 현재형과 과거형의 형태가 같으므로 put으로 쓴다.

D 1 did   2 planned   3 enjoyed

4 rode   5 ran

→ 1 과거를 나타내는 시간 표현 yesterday(어제)가 있으므로 과거형으로 나타내야 한다. do의 과거형은 did이다.

2 '모음 1개+자음 1개'로 끝나는 동사의 과거형은 마지막 자음을 한 번 더 쓰고 -ed를 붙인다.

3 동사 enjoy는 '모음+y'로 끝나는 동사이므로 뒤에 -ed만 붙인다.

4 동사 ride의 과거형은 rode이다.

5 동사 run의 과거형은 ran이다.

Step 3   p.43

A 1 David read a newspaper.

2 My parents worried about me.

3 The baby smiled at me.

4 He came home late.

5 Peter did the dishes.

→ 1 데이비드는 신문을 읽었다.

2 나의 부모님은 나에 대해 걱정하셨다.

3 그 아기는 나에게 미소 지었다.

4 그는 집에 늦게 왔다.

5 피터는 설거지를 했다.

B 1 The drone flew very low.

2 She made a sandwich

3 I dropped my cellphone

4 Jenny sat on the sofa.

5 David drove a big truck.

UNIT 3   일반동사 과거형의 부정문/의문문

Step 2   p.45

A 1 did not   2 didn't   3 drive

4 didn't   5 have   6 Did

7 Did

→ 1 우리는 캠핑을 가지 않았다. / 뒤에 일반동사 go가 있으므로 did를 사용하여 부정문을 만든다.

2 나는 그 답을 몰랐다.

3 스미스는 우리 차를 빠르게 운전하지 않았다. / didn't 뒤에는 항상 동사원형이 온다.

4 그녀는 어제 그 책들을 사지 않았다. / 과거를 나타내는 시간 표현 yesterday가 있으므로 didn't가 알맞다. yesterday가 없더라도 주어 She는 현재형 부정문에서 doesn't와 쓰이므로 don't는 올 수 없다.

5 너는 좋은 시간을 보냈니? / 'Did+주어' 뒤에는 항상 동사원형이 온다.

6 그는 지난주에 그 경기를 이겼니? / 과거를 나타내는 시간 표현 last week가 있으므로 Did가 알맞다.

7 그 학생들은 박물관을 방문했니? / 주어 the students 뒤에 일반동사 visit이 있으므로 Did를 사용하여 의문문을 만든다.

B 1 didn't do   2 Did, live   3 Did, brush
4 didn't bring   5 didn't want

→ '~하지 않았다'는 「didn't+동사원형」으로 나타내고, '~했니?'는 「Did+주어+동사원형 ~?」으로 나타낸다. 주어에 상관없이 항상 did를 쓴다.

C 1 didn't sleep   2 didn't stand
3 didn't stop   4 didn't write

→ didn't 뒤에는 항상 동사원형이 오므로 주어진 과거형 문장의 동사를 동사원형으로 바꿔 쓴다.

→ 1 나는 어젯밤 잘 자지 못했다.
2 그녀는 자동차 뒤에 서 있지 않았다.
3 그 버스는 빨간불에 멈춰 서지 않았다.
4 나는 내 친구에게 편지를 쓰지 않았다.

D 1 Did, lose, did   2 Did, like, didn't
3 Did, catch, did
4 Did, drink, didn't, drank

→ 'Did+주어' 뒤에는 항상 동사원형이 오므로 주어진 과거형 문장의 동사를 동사원형으로 바꿔 쓴다.

→ 1 Q: 그는 그의 카메라를 잃어버렸니? A: 응, 그랬어. / lost의 동사원형은 lose(잃어버리다)이다.
2 Q: 소피아는 그 선물을 좋아했니? A: 아니, 그렇지 않았어.
3 Q: 경찰들은 그 도둑을 잡았니? A: 응, 그랬어. / caught의 동사원형은 catch(잡다)이다.
4 Q: 너는 탄산음료 한 캔을 마셨니? A: 아니, 그렇지 않았어. 나는 우유 한 잔을 마셨어. / drank의 동사원형은 drink(마시다)이다.

A 1 Kelly didn't study science.
2 Did they build the bridge
3 My brother didn't[did not] get up
4 Did Jack and Mike swim in the sea?
5 I didn't[did not] bake cookies

→ 1 켈리는 과학을 공부하지 않았다.
2 그들은 작년에 그 다리를 지었니?
3 나의 형은 일찍 일어나지 않았다.
4 잭과 마이크는 바다에서 수영했니?
5 나는 어제 쿠키를 굽지 않았다.

B 1 He didn't take the train
2 Did the concert start
3 Did you play baseball
4 We didn't[did not] walk to school
5 Wilson didn't[did not] forget my birthday.

CHAPTER EXERCISE

CHAPTER 3   p.48

01 ②, ③   02 ②   03 ⑤   04 were
05 was   06 ③   07 ④   08 made
09 ran   10 went   11 weren't
12 Was   13 didn't clean   14 saw
15 put   16 ④   17 learned
18 Did, do   19 Were   20 didn't catch

01 ① 너는 두렵니? ② 너는 비행기 조종사였니? ③ 그 작은 개는 용맹했다. ④ 이 우산은 내 것이 아니다. ⑤ 마크는 집에 있다. / be동사의 과거형인 was나 were가 쓰인 문장을 찾는다.
02 ② 동사 ride의 과거형은 rode이다.
03 ⑤ 동사 stand의 과거형은 stood이다.
04 제이크와 나는 동물원에 있었다. / 주어가 복수 명사 Jake and I(→ We)이므로 were가 알맞다.

05 나의 할아버지는 경찰관이셨다. **/** 주어가 단수 명사 My grandfather(→ He)이므로 was가 알맞다.

06 · 그 가수들은 유명했다. · 그 케이크는 맛있었다. **/** The singers(→ They)는 복수 명사이므로 were, The cake(→ It)는 단수 명사이므로 was가 알맞다.

07 · 너는 슬펐니? · 제임스는 수영장에 없었다.

08 잭과 그의 친구들은 눈사람을 만들었다. **/** 동사 make의 과거형은 made이다.

09 스티브는 어제 공원에서 달렸다. **/** 동사 run의 과거형은 ran이다.

10 내 남동생[오빠, 형]은 어제 학교에 갔다. **/** 과거를 나타내는 시간 표현 yesterday가 있으므로 과거형 went가 알맞다.

11 내 사촌들은 스페인에 없다. → 내 사촌들은 스페인에 없었다.

12 그 사과파이는 달콤하니? → 그 사과파이는 달콤했니?

13 그 남자아이들은 교실을 청소하지 않는다. → 그 남자아이들은 교실을 청소하지 않았다.

14 내 여동생[언니, 누나]과 나는 영화를 본다. → 내 여동생[언니, 누나]과 나는 영화를 보았다. **/** 동사 see의 과거형은 saw이다.

15 그녀는 꽃병을 테이블 위에 놓는다. → 그녀는 꽃병을 테이블 위에 놓았다.

16 ① 그들은 일찍 도착했다. ② 그녀는 6시에 일을 마쳤다. ③ 폴은 병원에 서둘러 갔다. ④ 내 친구들은 파티를 계획했다. ⑤ 나는 어제 학교에서 그녀를 보지 않았다. **/** ④ plan은 '모음 1개+자음 1개'로 끝나는 동사이므로 마지막 자음을 한 번 더 쓰고 -ed를 붙인 planned가 되어야 한다.

20 과거를 나타내는 시간 표현 last winter(지난겨울)가 있으므로 don't를 과거형 didn't로 고쳐야 한다.

REVIEW

CHAPTER 2-3   p.50

A 1 wasn't 2 was 3 study
4 stopped 5 were 6 read

B 1 was, going to be
2 bought, will buy
3 went, going to go

A 1 앤은 부끄러워하지 않았다.
2 그 지하철은 더러웠다.
3 내 언니[누나, 여동생]은 영어를 공부할 것이다. **/** will 뒤에는 항상 동사원형이 온다.
4 비는 30분 전에 그쳤다.
5 우리는 어제 식당에 있었다.
6 그는 그 책을 읽을 것이다. **/** be going to 뒤에는 항상 동사원형이 온다.

B 1 '늦다'라는 의미는 be late로 나타내므로 첫 번째 문장에는 be동사의 과거형 was가 알맞다. 두 번째 문장에는 '늦을 것이다'는 미래표현 be going to를 사용하고, to 뒤에는 항상 동사원형이 오므로 be를 쓴다.
2 '샀다'는 buy의 과거형 bought를 쓴다. '살 것이다'는 미래표현 will을 사용하고, will 뒤에는 항상 동사원형이 오므로 buy를 쓴다.
3 '갔다'는 go의 과거형 went를 쓴다. '갈 것이다'는 미래표현 be going to를 사용하고, to 뒤에는 항상 동사원형이 오므로 go를 쓴다.

조동사 can, may

UNIT 1 조동사 can

Step 2   p.53

A   1 run   2 can   3 play
    4 cannot   5 Can I   6 move
    7 Can you   8 Can   9 cannot cook
    10 touch

→   1, 6 can 뒤에는 항상 동사원형이 온다.
    2 can은 조동사이므로 주어에 따라 모양이 바뀌
      지 않는다.
    3 can의 의문문에서 주어 뒤에는 항상 동사원형
      이 온다.
    4, 9 can의 부정문은 「cannot+동사원형」으로
      쓴다.

B   1 No, he can't.   2 Yes, you can.
    3 No, they can't.   4 Sure, I can.

→   1 Q: 다니엘은 이 문제를 풀 수 있니?
      A: 아니, 할 수 없어.
    2 Q: 내가 이 초콜릿을 먹어도 되니?
      A: 응, 먹어도 돼.
    3 Q: 펭귄들은 날 수 있나요? A: 아니, 할 수 없어.
      / 의문문의 주어가 복수 명사 the penguins이
      므로 they로 바꿔서 대답한다.
    4 Q: 불 좀 꺼주시겠어요? A: 물론이죠.

C   1 can ride   2 Can, borrow
    3 cannot[can't] lift   4 can make
    5 cannot[can't] play   6 Can, help

D   1 ①   2 ②   3 ①   4 ②   5 ①   6 ②

→   1 에밀리는 높이 뛸 수 없다.
    2 제가 질문해도 되나요?
    3 나의 아빠는 마술을 하실 수 있다.
    4 창문을 닫아줄래요?
    5 너는 교실에서 뛰면 안 된다.
    6 네 남동생[오빠, 형]은 수영할 수 있니?

Step 3   p.55

A   1 Stella can write Chinese.
    2 Can you answer the question?
    3 My uncle can't drive a car.
    4 You can play outside.
    5 Can this robot clean the house?

B   1 You can use my eraser.
    2 James can eat spicy food.
    3 Can she pass the exam?
    4 You cannot[can't] cross the street here.
    5 Can I take a picture here?

UNIT 2 조동사 may

Step 2   p.57

A   1 may   2 come   3 go
    4 may use   5 may not   6 may take
    7 May I   8 may not

→   1 may는 조동사이므로 주어에 따라 모양이 바뀌
      지 않는다.
    2, 7 「May+주어+동사원형 ~?」의 형태가 알맞다.

3 may 뒤에는 항상 동사원형이 온다.

5 may not은 줄여 쓰지 않는다.

B 1 ② 2 ① 3 ② 4 ②

→ 1 네 책을 펴도 된다.

2 자러 가도 되나요?

3 너는 이 방을 사용하면 안 된다.

4 우리가 지금 나가도 되나요?

C 1 you may   2 you may not

3 they may

→ 1 Q: 당신의 연필을 빌려도 되나요? A: 네, 돼요.

2 Q: 당신의 재킷을 입어도 되나요? A: 아니요, 안 돼요.

3 Q: 그 학생들은 휴대전화를 가져와도 되나요? A: 네, 돼요.

D 1 may watch   2 May, look

3 may not bring   4 may stay

5 may not eat   6 May, speak

7 may not play

→ 3, 5, 7 '~하면 안 된다'는 「may not+동사원형」으로 나타낸다.

6 「May I speak to+사람?」은 '~와 통화할 수 있을까요?'라는 의미로 전화할 때 쓰이는 표현이다.

E 1 we sit   2 may not go

3 visit   4 may bring

→ 1 우리가 여기에 앉아도 되나요?

2 너는 집에 일찍 가면 안 돼. / not은 조동사 뒤에 온다.

3 오늘 제가 당신의 집을 방문해도 될까요?

4 학생들은 그들의 점심을 가져와도 된다. / may는 주어에 따라 모양이 바뀌지 않는다.

Step 3   p.59

A 1 May I take your order?

2 You may join our team.

3 You may not leave now.

4 May I ride your bike?

5 You may have these cookies.

→ 1 May I take your order?는 식당에서 '주문하시겠어요?'라는 의미로 자주 쓰인다.

B 1 You may not touch the paintings

2 May I open the presents now?

3 You may use my cellphone.

4 May we feed the animals?

5 You may not go to bed late.

CHAPTER EXERCISE

CHAPTER 4   p.60

01 ②   02 ①   03 ②   04 ②   05 ③

06 ②   07 ④   08 a   09 d   10 c

11 ①   12 can't   13 can   14 may not

15 may   16 ⑤   17 ②

18 I cannot[can't] hear your voice.

19 You may not wait here.

20 Can Sam make hamburgers?

01 제이크는 춤을 잘 출 수 있다. / 조동사는 be동사나 일반동사 앞에 쓰인다.

02 너는 지금 복사기를 사용해도 돼.

03 물 좀 마셔도 될까요? / 「Can+주어+동사원형 ~?」

04 너는 그 꽃들을 꺾으면 안 돼.

05 '~해 줄래요?'와 같이 부탁이나 요청을 나타낼 때는 「Can you ~?」로 묻는다.

06 Q: 너는 컴퓨터를 고칠 수 있니? A: 응, 할 수 있어.

07 Q: 지금 가도 되나요? A: 아니, 안 돼.

08 너는 드럼을 칠 수 있니?

09 그 배우는 말을 타지 못한다.

10 지금 공원에 가도 될까요?

11 너는 내 펜을 사용해도 된다. ① 너는 내 차를 운전해도 돼. ② 우리는 맛있는 파이를 만들 수 있다. ③ 캥거루들은 매우 높이 뛸 수 있다. ④ 앨리스는 스케이트보드를 잘 탈 수 있다. ⑤ 내 삼촌은 요리를 잘 하실 수 있다. / <보기>의 can은 '~해도 된다'라는 허락의 의미를 나타내므로 ①의 can이 같은

의미로 쓰였다. 나머지는 '~할 수 있다'라는 의미로 쓰였다.

12 나의 언니[누나, 여동생]는 차를 운전할 수 없다. 그녀는 16살이다.

13 제프는 숙제를 끝냈다. 그는 이제 TV를 봐도 된다.

14 너는 그 벤치에 앉으면 안 돼. 우리가 오늘 아침에 그것을 페인트칠했어.

15 밖에 비가 오고 있지 않아. 너는 지금 밖에 나가도 돼.

16 ① 너는 여기에 머무르면 안 된다. ② 음악을 틀어도 되나요? ③ 저를 도와주시겠어요? ④ 너는 내 코트를 입어도 된다. ⑤ 그녀는 일본어를 할 수 있다. / ⑤ can 뒤에는 항상 동사원형이 오므로 speak로 고쳐야 한다.

17 ① 너는 이 차를 사용해도 된다. ② 방에서 나가도 되나요? ③ 너는 침대에서 자도 돼. ④ 도서관에서 먹으면 안 된다. ⑤ 네 카메라를 써도 되니? / ② 조동사의 의문문에는 do를 쓰지 않는다. 주어와 조동사의 순서만 바꾸면 된다.

18 나는 네 목소리를 들을 수 있다. → 나는 네 목소리를 들을 수 없다.

19 너는 여기서 기다려도 돼. → 너는 여기서 기다리면 안 돼.

20 샘은 햄버거를 만들 수 있다. → 샘은 햄버거를 만들 수 있니?

A 1 마리아는 피아노를 칠 수 있니?
2 그들은 지난주에 바빴니?
3 톰은 내게 거짓말을 했다.
4 나는 이 문제를 풀 수 없다.
5 그녀는 그녀의 방을 치우지 않았다.

B 1 '멈췄다'로 과거의 일이므로 stop의 과거형으로 쓴다. '모음 1개+자음 1개'로 끝나는 동사이므로 마지막 자음을 한 번 더 쓰고 -ed를 붙인다.
2 '~해 주시겠어요?'와 같이 부탁이나 요청을 나타낼 때는 조동사 can을 사용한다. 의문문의 주어 뒤에는 항상 동사원형으로 쓴다.
3 빈칸 뒤에 형용사 tired가 오므로 빈칸에는 be동사가 들어가야 한다. 과거를 나타내는 시간 표현 last night가 있으므로 3인칭 단수 주어 Dave에 맞는 be동사 과거형 was를 쓴다.
4 '~할 수 있다'는 조동사 can으로 나타낸다. can 뒤에는 be동사의 원형 be를 쓴다.
5 '~하지 않았다'는 「didn't+동사원형」으로 나타낸다.
6 '~해도 된다'라는 허락의 의미는 조동사 can과 may 둘 다 쓸 수 있다.

REVIEW

CHAPTER 3-4   p.62

A 1 play   2 Were   3 told   4 cannot
   5 clean

B 1 stopped   2 Can, stop   3 was
   4 can be   5 didn't play
   6 can[may] play

CHAPTER

5 의문사

UNIT 1 의문사 + be동사 의문문

Step 2 p.65

A 1 Who 2 How 3 When
4 is 5 What 6 were

→ 4 의문문의 주어가 단수 명사 the little boy(→ he)이므로 is가 알맞다.
6 과거형 were로 대답하고 있으므로 의문문의 동사도 과거형 were가 알맞다.

B 1 Where 2 Who 3 When
4 How 5 What

→ 1 Q: 내 공책들은 어디에 있니? A: 그것들은 의자 위에 있어.
2 Q: 저 키 큰 여자는 누구니? A: 그녀는 내 엄마야.
3 Q: 네 방학은 언제였니? A: 지난달이었어.
4 Q: 그 책은 어때? A: 그것은 매우 재미있어.
5 Q: 그의 직업은 무엇이었니? A: 그는 비행기 조종사였어.

C 1 Why was 2 What is 3 How was
4 When is 5 Who are 6 Where were

→ 1, 3, 6 과거의 일을 묻고 있으므로 의문사 뒤에는 be동사의 과거형 was 또는 were를 쓴다.

D 1 Where 2 What 3 was 4 How

→ 1 Q: 그 영화관은 어디에 있니? A: 그것은 은행 옆에 있어. / 장소를 답하고 있으므로 '어디에'를 뜻하는 의문사 Where로 고쳐야 한다.
2 Q: 네가 가장 좋아하는 음식은 무엇이니?

A: 피자야. / 좋아하는 음식을 답하고 있으므로 '무엇'을 뜻하는 의문사 What으로 고쳐야 한다.
3 Q: 내 손목시계는 어디에 있었니? A: 그것은 서랍 안에 있었어.
4 Q: 날씨가 어땠니? A: 흐렸어. / 날씨가 어떤지 대답하고 있으므로 '어떤'을 뜻하는 의문사 How로 고쳐야 한다.

Step 3 p.67

A 1 When is the next bus?
2 Where was his umbrella?
3 Who are your best friends?
4 What is her phone number?
5 How were your classmates?

B 1 What is your favorite movie?
2 When is[When's] the festival?
3 How was the new restaurant?
4 Where are your parents
5 Why were the children at the playground?

UNIT 2 의문사 + 일반동사 의문문

Step 2 p.69

A 1 Where 2 does 3 How
4 does 5 Where

→ 2 의문문의 주어가 3인칭 단수 the store(→ it)이므로 does가 알맞다.

4 주어 your mother 뒤에 일반동사 do(하다)가 있으므로 일반동사의 의문문을 만드는 does가 알맞다.

B 1 When did 2 What does 3 Why did 4 How do

C 1 What   2 Where   3 How
  4 When   5 Who   6 Why

→ 1 Q: 너는 점심으로 무엇을 먹었니? A: 나는 샌드위치를 먹었어.

2 Q: 앤디는 어디에서 일하니? A: 그는 호텔에서 일해. / 일하는 장소를 대답하고 있으므로 '어디에'를 뜻하는 의문사 Where가 알맞다.

3 Q: 몰리는 어떻게 학교에 가니? A: 그녀는 버스를 타고 가. / 학교에 가는 방법을 대답하고 있으므로 '어떻게'를 뜻하는 의문사 How가 알맞다.

4 Q: 영화는 언제 시작하니? A: 5시 30분에 시작해. / 시각을 대답하고 있으므로 '언제'를 뜻하는 의문사 When이 알맞다.

5 Q: 누가 너에게 그 계획을 말했니? A: 케이트가 말했어.

6 Q: 제니는 왜 겨울을 좋아하니? A: 그녀는 눈을 좋아해서 겨울을 좋아해. / 이유에 대해 대답하고 있으므로 '왜'를 뜻하는 의문사 Why가 알맞다.

D 1 did   2 does   3 make
  4 the class start

→ 1 주어 they 뒤에 일반동사 find가 있으므로 일반동사 의문문을 만드는 did로 고쳐야 한다.

2 의문문의 주어가 he이므로 does가 알맞다.

3 일반동사의 의문문과 마찬가지로 앞에 did가 있으므로 주어 뒤에는 항상 동사원형이 온다.

4 「의문사+do/does+주어+동사원형 ~?」의 순서가 되어야 한다.

Step 3   p.71

A 1 Where did you go
  2 Who cleans your room?

3 What does she read?
4 When do you listen to music?
5 How did he solve the problem?

B 1 Where do you buy your clothes?
  2 What did you have
  3 How does Brian know you?
  4 When does the plane arrive?
  5 Why did he go to the museum?

→ 2, 5 과거의 일을 묻는 의문문이므로 의문사 뒤에 did를 쓴다.

UNIT 3 What/Whose/How 의문문

Step 2   p.73

A 1 time   2 is this scarf   3 How
  4 many   5 much   6 How

→ 1 Q: 콘서트는 몇 시에 시작하니? A: 오후 6시에 시작해. / 시각을 묻는 질문이므로 time이 알맞다.

2 Q: 이 스카프는 얼마인가요? A: 그것은 30달러예요. / 'be동사+주어'의 순서가 되어야 한다.

3 Q: 그녀는 키가 얼마나 크니? A: 148cm야. / 키를 물을 땐 How를 사용한다.

4 Q: 거기에는 몇 대의 차가 있니? A: 여덟 대가 있어. / 뒤에 복수 명사 cars가 있으므로 many가 알맞다.

5 Q: 너는 얼마나 많은 돈이 필요하니? A: 나는 20달러가 필요해. / 뒤에 셀 수 없는 명사 money가 있으므로 much가 알맞다.

6 Q: 그들은 얼마나 자주 수영을 하니? A: 그들은 일주일에 한 번 수영을 해. / 횟수를 답하고 있으므로 How often으로 물어야 한다.

B 1 What day   2 How much
  3 What grade   4 How many
  5 Whose photos

→ 1 Q: 무슨 요일이니? A: 화요일이야.

2 Q: 그 공책은 얼마인가요? A: 4달러입니다.

3 Q: 그들은 몇 학년이니? A: 그들은 1학년이야.

4 Q: 너는 달걀을 몇 개 먹었니? A: 나는 두 개 먹었어.

5 Q: 이것들은 누구의 사진들이니? A: 그것들은 내 것이야.

C 1 How old 2 How many
3 How much 4 What time
5 How often

→ 2 '얼마나 많은'을 의미하면서 복수 명사 books 앞에 올 수 있는 것은 How many이다.

3 '얼마나 많은'을 의미하면서 셀 수 없는 명사 butter 앞에 올 수 있는 것은 How much이다.

D 1 What grade 2 What day
3 Whose cellphone 4 How many
5 How tall

→ 1 Q: 네 형[오빠, 남동생]은 몇 학년이니? A: 6학년이야. / 학년을 묻는 표현은 What grade이다.

2 Q: 오늘은 무슨 요일이니? A: 금요일이야. / 요일을 물을 땐 What day로 묻는다.

3 Q: 이것은 누구의 휴대전화니? A: 그것은 팸의 것이야. / Pam's(팸의 것)라고 '누구의' 소유인지 답하고 있으므로 의문사 Whose가 알맞다.

4 Q: 베티는 몇 명의 아이가 있니? A: 그녀는 세 명의 아이가 있어. / 복수 명사 children 앞에는 How many가 알맞다.

5 Q: 그 농구선수는 키가 얼마나 크니? A: 183센티미터야. / 키가 몇인지 답하고 있으므로 How tall로 물어야 한다.

Step 3 p.75

A 1 How much are these cookies?
2 What day is it today?
3 How tall is the building?
4 What grade is the student in?
5 How often did she exercise?

B 1 What time does Jack eat lunch?
2 How old is your cat?
3 How often do you watch TV?
4 Whose idea was this?
5 How much juice does he drink?

CHAPTER EXERCISE

CHAPTER 5 p.76

01 ② 02 ① 03 are 04 did
05 Whose 06 ④ 07 How 08 Who
09 Why 10 ④ 11 ② 12 b 13 a
14 c 15 How much, need
16 When did, meet 17 Where were
18 How many 19 was 20 live

01 Q: 그 카페는 _____ 있니? A: 그것은 2층에 있어.
① 무엇 ② 어디에 ③ 누구 ④ 언제 ⑤ 어떻게

02 Q: 이 복숭아는 _____인가요? A: 3달러예요.
① 얼마 ② 몇 시 ③ 몇 학년 ④ 몇 살 ⑤ 얼마나 키가 큰

03 의문문의 주어가 복수 명사 my slippers이므로 are가 알맞다.

04 의문문의 주어 you 뒤에 일반동사 buy가 있으므로 일반동사의 의문문을 만드는 did가 알맞다.

06 ・그는 _____을 말했니? ・오늘은 _____ 요일이니? ① 어디에 ② 어떻게, 어떤 ③ 누구 ④ 무엇, 무슨 ⑤ 언제

07 Q: 너는 오늘 수업이 몇 개 있니? A: 나는 수업이 다섯 개 있어.

08 Q: 네가 가장 좋아하는 선생님은 누구였니? A: 해리슨 선생님이었어.

09 Q: 너는 이 책을 왜 샀니? A: 줄거리가 마음에 들어서 샀어.

10 ① 누가 그 방 안에 있니? ② 네 휴가는 어땠니? ③ 문제가 무엇이니? ④ 네 안경은 어디에 있었니? ⑤ 네 엄마의 생신은 언제니? / ④ 의문문의 주어

가 복수 명사 your glasses이므로 were로 고쳐야 한다.

11 ① 이것은 누구의 야구모자니? ② 그 나무는 얼마나 높니? ③ 그녀는 얼마나 자주 수영을 하니? ④ 너는 몇 시에 일어나니? ⑤ 너는 얼마나 많은 돈을 가지고 있니? / ② 키, 높이를 물을 때는 How tall을 사용한다.

12 그 시험은 어땠니? b. 그것은 매우 어려웠어.

13 그 콘서트는 몇 시에 시작하니? a. 5시 정각에 시작해.

14 너는 어제 제이미를 어디서 봤니? c. 나는 그를 공원에서 봤어.

18 뒤에 복수 명사 people(사람들)이 있으므로 How many로 물어야 한다.

REVIEW

CHAPTER 4–5   p.78

A 1 is   2 go   3 Can   4 is
   5 remember

B 1 can't solve   2 How did, solve
   3 Where did, take   4 may not take
   5 Can, win   6 How often does, win

A   1 내 스웨터는 어디에 있니?

2 너는 지금 가도 된다. / 조동사 뒤에는 항상 동사원형이 온다.

3 네 개는 높이 뛸 수 있니? / 3인칭 단수 주어 your dog 앞에 올 수 있는 것은 조동사 Can이다. 일반동사의 의문문이 되려면 Does로 시작해야 한다.

4 네가 가장 좋아하는 과목은 무엇이니?

5 나는 그의 전화번호를 기억할 수 있다.

B 1 '~할 수 없다'는 「can't+동사원형」으로 나타낸다.

2, 3 '~했니?'로 과거의 일을 묻는 일반동사의 의문문이므로 의문사 뒤에 did를 쓴다.

4 '~하면 안 된다'는 「may not+동사원형」으로 나타낸다. may not 대신 cannot 또는 can't도 가능하다.

6 '얼마나 자주'를 뜻하는 How often을 쓰고, 주어가 3인칭 단수 your team이므로 How often 뒤에 does를 쓴다.

UNIT 1 명령문과 제안문

Step 2   p.81

A   1 be   2 Bring   3 Open
    4 Be   5 come   6 cross
    7 forget   8 Don't

→   1, 6, 7, 8 '~하지 마라'의 부정 명령문은 「Don't+
    동사원형 ~」의 형태로 쓴다.
    2, 3, 4, 5 '~해라'의 긍정 명령문은 항상 동사원형
    으로 시작한다.

B   1 Let's   2 be   3 ride
    4 buy   5 be   6 have
    7 not go   8 Let's not

→   1, 2, 3, 5, 6 '~하자'의 제안문은 「Let's+동사원형
    ~」의 형태로 쓴다.
    4, 7, 8 '~하지 말자'의 부정 제안문은 「Let's not+
    동사원형 ~」의 형태로 쓴다.

C   1 Wear   2 Don't play   3 Let's meet
    4 Don't be   5 Let's not eat

D   1 Don't   2 eat   3 Be
    4 not play   5 Don't talk

Step 3   p.83

A   1 Let's not take a train.
    2 Let's buy some cheese.
    3 Return to your seat.
    4 Let's turn on the TV.
    5 Don't throw the trash

B   1 don't touch the animals
    2 Take this umbrella.
    3 Let's not talk about it.
    4 Don't be late
    5 Let's order a pizza

UNIT 2 감탄문

Step 2   p.85

A   1 What   2 it is   3 are
    4 a smart   5 How   6 What
    7 a high   8 How

→   1 뒤에 「a+형용사+명사」가 오므로 What 감탄문
    이다.
    2 감탄문에서는 '주어+동사'의 순서가 되어야 한다.
    3 주어 you에 알맞은 동사가 와야 한다.
    4 What 감탄문이고, girl이 셀 수 있는 명사이므
    로 smart 앞에 a가 있어야 한다.
    5 바로 뒤에 형용사가 있고 형용사가 꾸며주는
    명사는 없으므로 How 감탄문이다.
    6 뒤에 「형용사+명사」가 오므로 What 감탄문이
    다. hair가 셀 수 없는 명사이므로 long 앞에 a를
    쓰지 않는다.
    7 What 감탄문이고, building이 셀 수 있는 명사
    이므로 high 앞에 a가 있어야 한다. 감탄문의
    끝에는 '주어+동사'가 생략되었다.
    8 바로 뒤에 부사가 있으므로 How 감탄문이다.

B 1 What a clean room

2 How lazy

3 What a fun game

4 How beautifully

5 What a cute rabbit

→ 1 clean room(깨끗한 방)을 강조하는 감탄문이므로 What으로 시작한다. clean 앞에는 a를 써야 한다.

2 형용사 lazy를 강조하므로 How로 시작한다. 「How+형용사」의 순서로 쓴다.

3 fun game(재미있는 게임)을 강조하는 감탄문이므로 What으로 시작한다. fun 앞에는 a를 써야 한다.

4 부사 beautifully를 강조하므로 How로 시작한다. 「How+부사」의 순서로 쓴다.

5 cute rabbit(귀여운 토끼)을 강조하는 감탄문이므로 What으로 시작한다. cute 앞에는 a를 써야 한다.

C 1 What   2 an expensive

3 it is   4 handsome

5 How   6 Jack jumps

→ 1 정말 아름다운 날이구나! / 뒤에 「a+형용사+명사」가 오므로 What 감탄문이다.

2 그것은 정말 비싼 그림이구나! / What 감탄문이고 painting이 셀 수 있는 명사이므로 형용사 expensive 앞에 a나 an이 있어야 한다. 모음(e) 발음으로 시작하므로 an을 추가해야 한다.

3 그것은 정말 밝은 달이구나!

4 그 배우는 정말 잘생겼구나! / How 감탄문이므로 How 뒤에 a가 오지 않는다.

5 그 이야기는 정말 재미있구나! / 뒤에 「형용사+주어+동사」가 오므로 How 감탄문이 알맞다.

6 잭은 정말 높이 뛰는구나!

D 1 What   2 an interesting

3 comfortable   4 he is

5 How   6 How well

→ 1 이것은 매우 큰 크리스마스트리이다.

   → 이것은 정말 큰 크리스마스트리구나!

2 그것은 매우 재미있는 영화이다. → 그것은 정말 재미있는 영화구나! / What 감탄문이고, interesting이 모음 발음으로 시작하므로 앞에 an을 쓴다.

3 그 침대는 매우 편안하다. → 그 침대는 정말 편안하구나! / 형용사는 How 바로 뒤에 온다.

4 그는 매우 착한 아들이다. → 그는 정말 착한 아들이구나! / '주어+동사' 순서 그대로 감탄문의 끝에 쓴다.

5 그녀는 매우 다정하다. → 그녀는 정말 다정하구나! / 형용사 friendly를 강조하므로 How 감탄문이 알맞다.

6 그 남자아이는 수영을 잘한다. → 그 남자아이는 정말 수영을 잘하는구나! / 부사 well을 강조하므로 How 감탄문이 알맞다. 부사는 How 바로 뒤에 온다.

Step 3   **p.87**

A 1 What a busy day!

2 How fast she runs!

3 What an old building it is!

4 How cheap the bag is!

5 What a delicious pizza it is!

B 1 What a cute puppy it is!

2 How strong he is!

3 What warm gloves these are!

4 How loudly she speaks!

5 What a long bridge that is!

→ 1, 5 형용사 뒤에 셀 수 있는 명사가 오므로 What 뒤에 a를 꼭 쓴다.

3 gloves가 복수 명사이므로 warm 앞에 a를 쓰지 않는다.

CHAPTER EXERCISE

CHAPTER 6 p.88

01 ④ 02 ⑤ 03 Be 04 solve

05 How 06 cross 07 ③ 08 ④

09 Let's play 10 How fast 11 ②

12 ② 13 ③ 14 ①

15 Brush your teeth

16 Let's not walk home.

17 How well your sister dances!

18 Don't waste water.

19 Let, Let's 20 Not, Don't

01 박물관 안에서는 조용히 해라. / 명령문은 항상 동사원형으로 시작하므로 ① Do와 ④ Be 중에 고른다. 빈칸 뒤에 형용사가 있으므로 be동사의 동사원형인 ④가 알맞다.

02 그녀는 정말 똑똑한 학생이구나! / 뒤에 「a+형용사+명사」가 오므로 What 감탄문이다.

03 네 친구들에게 잘 해줘라.

04 그 문제를 먼저 풀자. / Let's 뒤에는 항상 동사원형이 온다.

05 정말 춥구나! / 뒤에 「형용사+주어+동사」가 오므로 How 감탄문이 알맞다.

06 빨간 불에서 길을 건너지 마라. / 부정 명령문 Don't 뒤에는 항상 동사원형이 온다.

07 · 두려워하지 마라. · 좋은 의사가 되어라. / 부정 명령문과 긍정 명령문의 동사원형이 들어가는 자리이다. 형용사(afraid)와 명사(a good doctor) 앞에 공통으로 올 수 있는 것은 Be이다.

08 · 그녀는 정말 용감한 여자아이구나! · 이것은 정말 비싼 차구나! / 두 문장 모두 빈칸 뒤에 「a/an+형용사+명사」가 오므로 What 감탄문이다.

09 '~하자'의 제안문은 「Let's+동사원형 ~」의 형태로 쓴다.

10 부사 fast를 강조하는 How 감탄문이므로 「How+부사」의 순서로 쓴다.

11 · 그 상자를 열지 마라. · 이 도시는 정말 깨끗하구나!

12 · 당신의 신발을 벗어주세요. · 정말 큰 개구나!

13 ① 문을 열어라. ② 1시 정각에 만나자. ③ 네 코트를 입어라. ④ 영화를 보지 말자. ⑤ 네 우산을 잊지 마라. / ③ 일반동사가 있는 명령문이므로 동사원형 Put으로 시작해야 한다.

14 ① 그 남자아이는 정말 게으르구나! ② 너는 정말 좋은 친구구나! ③ 그 벌레는 정말 작구나! ④ 이것은 정말 멋진 호텔이구나! ⑤ 그 공원은 정말 넓구나! / ① 올바른 How 감탄문이 되도록 What을 How로 고쳐야 한다.

15 너는 매일 이를 닦는다. → 매일 이를 닦아라.

16 우리는 집에 걸어간다. → 집에 걸어가지 말자.

17 네 여동생[언니, 누나]은 정말 춤을 잘 춘다. → 네 여동생[언니, 누나]은 정말 춤을 잘 추는구나!

18 너는 물을 낭비한다. → 물을 낭비하지 마라.

REVIEW

CHAPTER 5-6 p.90

A 1 Don't 2 How 3 Listen
   4 do 5 not worry 6 When

B 1 What is 2 Whose 3 How small
   4 When does
   5 What a hot day
   6 How is, It is rainy, Take

A 1 다시는 늦지 마라.

  2 그 영화는 정말 슬프구나!

  3 내 말을 주의 깊게 들어라.

  4 그들은 어디에서 야구를 하니? / 일반동사 play의 의문문이므로 do가 알맞다.

  5 그것에 대해 걱정하지 말자.

  6 네 형[오빠, 남동생]은 언제 잠자리에 드니? / 문장의 의미상 '언제'를 뜻하는 When이 알맞다.

B 6 날씨를 묻는 질문이므로 대답할 때는 비인칭 주어(뜻이 없는 주어) It을 사용하여 답한다.

CHAPTER
7 문장 형식

UNIT 1 문장을 이루는 요소

Step 2 p.93

A 1 This 2 My sister 3 His room
4 Sugar 5 The games 6 She
7 Alice

→ 주어 자리에는 명사 또는 대명사가 온다. 인칭대명사는 주격 형태가 와야 한다.

→ 1 이것은 내 컴퓨터이다.
2 내 여동생[언니, 누나]은 저 가수를 좋아한다.
3 그의 방은 항상 깨끗하다.
4 설탕은 달다.
5 그 경기들은 흥미진진하다.
6 그녀는 바이올린을 연주한다. / Her는 소유격 또는 목적격 대명사이므로 알맞지 않다.
7 앨리스는 내 언니[누나, 여동생]를 안다. / Him은 목적격 대명사이므로 알맞지 않다.

B 1 her 2 bag 3 flowers
4 milk 5 eyes 6 them

→ 동사의 목적어 자리에는 명사 또는 대명사가 온다. 인칭대명사는 목적격 형태가 와야 한다.

→ 1 우리는 그녀를 안다.
2 나는 내 가방을 잃어버렸다.
3 그녀는 꽃들을 좀 샀다.
4 앤디는 매일 우유를 마신다.
5 에린은 파란색 눈을 가지고 있다.
6 그는 매일 그것들을 입는다.

C 1 soft 2 teacher 3 delicious
4 model 5 perfect

→ 동사의 보어 자리에는 명사 또는 형용사가 온다.

→ 1 그의 목소리는 부드럽다.
2 제인은 나의 선생님이다.
3 이 피자는 맛있다.
4 그는 유명한 모델이었다.
5 네 계획은 완벽하다.

D 1 × 2 ○ 3 × 4 ○ 5 × 6 ○
7 ○ 8 × 9 ○

→ 1 나는 그것을 매일 읽는다. / it은 동사 read의 목적어이다.
2 오늘은 화창하다.
3 나는 내 숙제를 끝냈다. / my homework는 동사 finished의 목적어이다.
4 브라운 씨는 영어를 가르친다.
5 그녀는 새 배낭을 원한다. / a new backpack은 동사 wants의 목적어이다.
6 내가 가장 좋아하는 과목은 수학이다.
7 그는 커피 한 잔을 마신다.
8 그 시장은 여기에서 멀지 않다. / be동사 뒤에서 주어 The market을 설명해주는 말이므로 보어이다. far는 형용사이므로 목적어 자리에 올 수 없다.
9 다나와 나는 어제 영화를 보았다.

Step 3 p.95

A 1 주어, 동사 2 주어, 동사, 목적어
3 주어, 동사, 보어 4 주어, 동사, 보어

B 1 He plays computer games
2 The children watched a movie.
3 They are popular singers.

4 That bag was not[wasn't] expensive.

UNIT 2 1형식/2형식/3형식 문장

Step 2   p.97

A 1 주어: Airplanes, 동사: are flying
   2 주어: Rabbits, 동사: like
   3 주어: The jacket, 동사: looks
   4 주어: Kelly and I, 동사: went

B 1 tall   2 strange   3 happy
   4 a magician 5 difficult

C 1 I have - a headache.
   2 We are eating - dinner.
   3 The boxes are - heavy.
   4 The kids are reading - books.
   5 Her voice sounds - angry.
   6 The train arrived - at the station.

→ 1 나는 두통이 있다. / 동사 have 뒤에는 목적어가
     필요하다. a headache, dinner 또는 books도
     가능하다.
   2 우리는 저녁을 먹고 있다. / 동사 are eating
     뒤에는 목적어가 필요하다. 의미상 dinner가
     가장 알맞다.
   3 그 상자들은 무겁다. / '주어+동사'만으로 의미
     가 완전하지 않으므로 뒤에 보어가 필요하다.
     The boxes를 설명해주는 형용사 heavy가
     적절하다.
   4 그 아이들은 책을 읽고 있다.
   5 그녀의 목소리는 화난 것처럼 들린다. /
     감각동사 sounds의 보어가 필요하므로 형용사
     가 와야 한다. 의미상 형용사 angry가 알맞다.
   6 그 기차는 역에 도착했다. / '주어+동사'만으로
     의미가 완성된다. 문장에 꼭 필요하지는 않지만,
     의미를 더해주는 부사구 at the station이 뒤에
     오는 것이 알맞다.

D 1 a movie   2 the bus
   3 strawberries 4 are

→ 1, 2, 3 동사의 대상이 되는 목적어가 필요하므로
     명사가 알맞다.

→ 1 세나와 나는 영화를 보았다.
   2 우리는 오늘 그 버스를 타지 않았다.
   3 앤디는 정말 딸기를 좋아한다.
   4 그 양말은 더럽다.

E 1 smooth   2 happy
   3 broke the cup 4 them
   5 good

→ 1, 2, 5 감각동사의 보어 자리이므로 형용사가
     와야 한다. 부사는 보어로 쓰일 수 없다.

→ 1 이 스카프는 부드럽게 느껴진다.
   2 내 할머니는 행복해 보이신다.
   3 내 남동생[오빠, 형]은 그 컵을 깨뜨렸다. /
     '주어+동사+목적어'의 순서가 알맞다.
   4 나는 공원에서 그들을 봤다. / 목적어 자리의
     대명사는 목적격 형태가 알맞다.
   5 그 스테이크는 좋은 맛이 난다.

F 1 ①   2 ③   3 ②   4 ②   5 ③   6 ②
   7 ①

→ 1 달은 밤에 빛난다.
   2 우리는 크리스마스트리를 만들었다.
   3 그 여자아이들은 학생들이다.
   4 그 수프는 좋은 냄새가 나.
   5 마크는 파란색 야구모자를 썼다.
   6 그 이야기는 사실이 아니다.
   7 그녀는 그녀의 방에 갔다.

Step 3   p.99

A 1 We heard the good news.
   2 Seoul is a big city.
   3 The garden looked beautiful.
   4 Emma changed her hairstyle.
   5 Your sweater feels very soft.

B
1 The bananas smell sweet.
2 My brother reads a book
3 His voice sounded sad.
4 Brian and I go to work
5 It is my favorite song.

CHAPTER EXERCISE

CHAPTER 7   p.100

01 목적어   02 동사   03 보어   04 ⑤
05 sour   06 a sandcastle   07 ④
08 ④   09 ③   10 looks delicious
11 Some students danced
12 borrowed some books   13 ③
14 ②   15 ②   16 smells   17 like
18 him   19 nice   20 strong

01 앤은 점심으로 샌드위치를 먹었다.
02 그 어린 여자아이는 많은 질문을 했다.
03 그 오렌지 주스는 매우 달콤하다.
04 에이미는 _____ 보인다. ① 행복한 ② 친절한 ③ 화난 ④ 멋진 ⑤ 잘 / ⑤ 감각동사 look의 보어 자리이므로 부사 greatly(대단히)는 들어갈 수 없다.
05 이 키위는 신맛이 난다.
06 그 아이들은 해변에서 모래성을 만들었다. / 동사 made의 대상이 되는 목적어가 필요하므로 명사가 알맞다.
07 ① 루크는 예술가이다. ② 그는 그의 카메라를 팔았다. ③ 우리는 그들을 모른다. ④ 그 우유는 안 좋은 냄새가 나. ⑤ 나는 어젯밤에 내 머리를 말렸다.
08 조셉은 저녁마다 수영을 한다. ① 나는 매우 행복한 기분이 든다. ② 그는 영어를 가르친다. ③ 그녀는 그 공을 던졌다. ④ 해는 동쪽에서 뜬다. ⑤ 그는 아침으로 사과를 먹는다. / 주어진 문장과 ④는 '주어+동사'의 1형식 문장이다. ① '주어+동사+보어'의 2형식 문장이다. ②, ③, ⑤는 '주어+동사+

목적어'의 3형식 문장이다.
09 내 개는 매우 똑똑하다. ① 나는 어제 운동을 했다. ② 그는 꽃들을 좀 샀다. ③ 스티브와 제니는 친절하다. ④ 그녀는 펜을 떨어뜨렸다. ⑤ 그는 야구를 좋아하지 않는다. / 주어진 문장과 ③은 '주어+동사+보어'의 2형식 문장이다. ① '주어+동사'의 1형식 문장이다. ②, ④, ⑤는 '주어+동사+목적어'의 3형식 문장이다.
13 ① 나는 졸리게 느껴진다. ② 그것은 높은 건물이다. ③ 그는 두 명의 아들이 있다. ④ 이 의자는 너무 높다. ⑤ 너는 피곤해 보인다. / ③의 two sons는 has의 목적어이다. 나머지 밑줄 친 부분은 모두 동사의 보어로 쓰였다.
14 ① 그 선수는 다리를 다쳤다. ② 그 아기는 밤새 울었다. ③ 그녀는 새 안경을 샀다. ④ 그녀는 손을 씻었다. ⑤ 톰은 저녁을 요리한다. / ② '주어+동사'의 1형식 문장이고 all night는 부사구이다. 나머지 밑줄 친 부분은 모두 동사의 목적어로 쓰였다.
16 그 빵은 좋은 냄새가 난다.
17 나는 그것의 색깔이 마음에 들어.
18 나는 이틀 전에 그를 만났다.
19 네 이웃들은 친절해 보인다.
20 바람은 매우 강했다. / be동사 was의 보어 자리이므로 형용사가 와야 한다.

REVIEW

CHAPTER 6-7   p.102

A
1 soft   2 How   3 not do
4 hamburgers   5 Tennis   6 Be
B
1 looks easy
2 What an easy question
3 cleaned the kitchen
4 How clean
5 Let's clean the kitchen

A
1 내 머리카락이 부드럽게 느껴진다.
2 그는 정말 빨리 걷는구나! / 뒤에 부사가 오므로 How가 알맞다.
3 저것을 하지 말자. / 부정의 제안문은 「Let's not+동사원형」의 형태가 알맞다.
4 네이트와 나는 햄버거를 먹었다.
5 테니스는 그녀가 가장 좋아하는 스포츠이다.
6 도서관에서 조용히 해라. / 뒤에 형용사가 오므로 Be가 알맞다.

B
1 '~해 보이다'는 감각동사 look으로 나타낸다. look 뒤에는 형용사가 오므로 easy를 쓴다.
2 What 감탄문 「What+a/an+형용사+명사」의 순서로 쓴다. 이때 easy는 모음 발음으로 시작하는 형용사이므로 앞에 an을 써야 한다.

FINAL TEST 1회 CHAPTER 1-7

01 ⑤ 02 ④ 03 ③ 04 ④ 05 ③ 06 is not going 07 be 08 ③ 09 ②
10 bought   11 Did, play   12 didn't read   13 ③   14 ②   15 you may not   16 ④
17 ②   18 were   19 eat   20 ⑤   21 ④   22 ④   23 Don't be   24 Let's wait
25 Let's not take   26 ③   27 ④   28 him   29 good   30 takes many photos

01 ⑤ 동사 dance는 -e로 끝나는 동사이므로 e를 없애고 ing를 붙인다.

02 ① 케이트는 TV를 보고 있다. ② 우리는 빵을 사고 있다. ③ 엘리스는 학교에 걸어가고 있다. ④ 네 친구는 공부하고 있지 않다. ⑤ 그 남자는 커피를 마시고 있지 않다. / ④ 주어가 단수 명사 Your friend(→ He 또는 She)이므로 is not의 줄임말 isn't가 와야 한다.

03 · 나는 다음 주에 일본에 있을 것이다. · 그녀는 시장에 갈 것이다. / will과 be going to 뒤에는 항상 동사원형이 와야 하므로 ③이 알맞다.

04 Q: 네 엄마는 산책하고 계시니? A: 아니, 그렇지 않아. / 의문문의 주어 your mom을 알맞은 대명사 she로 바꾸어 대답해야 한다. 현재진행형의 의문문이므로 주어 she 뒤에 be동사 is를 이용해 대답하는 ④가 알맞다.

05 Q: 그는 내게 전화할 거니? A: 응, 그래.

06 그는 점심을 먹지 않을 것이다. / 「be동사+not+going to+동사원형」의 순서로 써야 한다.

07 존은 소방관이 되지 않을 것이다. / will not 다음에는 동사원형 be가 알맞다.

08 ① 앤디는 어제 아팠다. ② 그녀는 체육관에 없었다. ③ 그 남자아이들은 피곤했다. ④ 포드 씨는 미국에 있었다. ⑤ 어젯밤에 비가 왔니? / ③ 주어가 복수 명사 The boys(→ They)이므로 뒤에 were가 와야 한다. 나머지는 모두 3인칭 단수 주어이므로 was[Was]가 온다.

09 ② 동사 drop은 '모음 1개+자음 1개'로 끝나는 동사이므로 자음 p를 한 번 더 쓰고 ed를 붙여야 한다.

13 ① 그들은 휴대전화를 사용해도 된다. ② 우리는 춤을 잘 출 수 있다. ③ 그는 그 상자를 나를 수 있다. ④ 내 엄마는 축구를 하실 수 있다. ⑤ 샐리는 밖에 나가면 안 된다. / ① 「조동사+동사원형」의 순서로 써야 한다. ② 조동사 can 뒤에는 동사원형이 온다. ④ 조동사는 주어에 따라 모양이 바뀌지 않는다. ⑤ 조동사 may의 부정문은 「may not+동사원형 ~」으로 쓴다.

14 ① Q: 이 피자를 먹어도 되나요? A: 네, 돼요. ② Q: 그들은 줄넘기를 할 수 있니? A: 아니, 할 수 없어. ③ Q: 네 연필을 사용해도 되니? A: 응, 그래도 돼.

④ Q: 우리가 집에 가도 되나요? A: 아니, 안 돼.

⑤ Q: 창문을 닫아 줄래? A: 아니, 안 돼. / ② 조동사 can의 의문문에서 부정의 대답(No)이므로 주어 뒤에는 can't가 와야 한다.

15 Q: 지금 가도 될까요? A: 아니요, 안 됩니다.

16 · 너[너희들]는 일요일마다 _____을 하니?
· 네 이름은 _____이니? ① 언제 ② 어떤, 어떻게 ③ 누구의 ④ 무엇, 몇 ⑤ 어디에

17 · 저것은 _____ 비옷이니? · 이것은 _____ 양말이니? ① 누구 ② 누구의 ③ 언제 ④ 어디에 ⑤ 어떤 / 두 문장 모두 빈칸 뒤에 명사가 있고, '누구의' 것인지 묻는 것이 자연스러우므로 의문사 ② Whose가 알맞다.

18 의문문의 복수 명사 주어 the boys(→ they)에 맞게 be동사의 과거형 were로 써야 한다.

19 「의문사+일반동사」 의문문의 과거형에서 주어 뒤에는 동사원형이 온다.

20 Q: ① 네 남동생[오빠, 형]은 키가 얼마나 크니? ② 이 드레스는 얼마니? ③ 지금 몇 시 인가요? ④ 그는 언제 일어나니? ⑤ 그는 얼마나 자주 운동하니? A: 그는 일주일에 두 번 운동해. / ⑤ 운동하는 '횟수'를 대답하고 있으므로 How often으로 물어야 한다.

21 Q: ① 그것은 언제였니? ② 그것은 얼마나 크니? ③ 그것은 얼마인가요? ④ 무슨 요일이니? ⑤ 그것은 언제 여니? A: 월요일이야. / ④ '요일'을 대답하고 있으므로 What day로 물어야 한다.

22 안나는 정말 _____ 여자아이구나! ① 귀여운 ② 똑똑한 ③ 친절한 ④ 아름답게 ⑤ 행복한 / 빈칸은 명사 girl을 꾸며주는 형용사 자리이다. ④ beautifully는 부사이므로 빈칸에 들어갈 수 없다.

23 '~하지 마라'의 부정 명령문은 「Don't+동사원형 ~」으로 나타낸다.

24 '~하자'의 제안문은 「Let's+동사원형 ~」으로 나타낸다.

25 '~하지 말자'의 부정 제안문은 「Let's not+동사원형 ~」으로 나타낸다.

26 ① 그는 멋진 셔츠를 가지고 있다. ② 내 엄마는 커피를 마신다. ③ 그 남자는 선생님이다. ④ 샘은 학교에서 점심을 먹는다. ⑤ 그녀는 숙제를 끝냈다. / ③ 명사 a teacher는 be동사 is 뒤에서 주어 The man을 보충 설명하는 보어이다. 나머지는 모두 목적어에 해당한다.

27 ① 대니는 개를 좋아한다. ② 사라는 저녁 식사를 만든다. ③ 브라운 씨는 영어를 가르친다. ④ 테드는 손을 씻는다. ⑤ 내 여동생[누나, 언니]은 매일 노래를 부른다. / ④ his hands는 동사 washes의 동작의 대상인 목적어이다. 나머지는 모두 주어에 해당한다.

28 우리는 카페에서 그를 보았다. / 동사 saw의 목적어 자리이므로 목적격 대명사 him(그를)으로 고쳐 써야 한다.

29 그 햄버거는 좋은 냄새가 나. / 감각동사 smells 뒤에는 형용사 보어 good이 와야 한다.

30 내 이모[고모, 숙모]는 많은 사진을 찍으신다. / 「동사+목적어」의 순서로 써야 한다.

01 ③　02 ④　03 ②　04 ②　05 won't　06 do　07 buy　08 missed
09 weren't　10 Was　11 didn't read　12 ②　13 can　14 bring　15 may not
16 ④　17 ④　18 ②　19 ③　20 ④　21 What do, do　22 What did, buy
23 Where was　24 ⑤　25 ④　26 ③　27 ②　28 ⓐ　29 ⓑ　30 ⓒ

01 · 그 남자아이는 종이를 자르고 있다. · 그들은 지금 집에 오고 있다. / ③ 첫 번째 문장에서 동사 cut은 '모음 1개+자음 1개'로 끝나므로 마지막 자음 t를 한 번 더 쓰고 ing를 붙인다. 두 번째 문장에서 동사 come은 -e로 끝나는 동사이므로 e를 없애고 ing를 붙인다.

02 우리는 자전거를 타고 있지 않다. / ① be동사와 일반동사는 같이 쓸 수 없다. ② 주어 We 뒤에는 be동사 are가 오므로 are not의 줄임말 aren't가 알맞다. ③ riding만으로는 문장을 만들 수 없다. be동사 are가 필요하다. ⑤ 주어 We 뒤에는 doesn't가 아닌 don't가 와야 한다.

03 수는 눈사람을 만들고 있니? / ② 의문문의 주어가 3인칭 단수 Sue(→ she)이므로 앞에 Is가 알맞으며, 주어 뒤에는 동사 make의 -ing형인 making이 와야 한다.

04 · 윌리엄은 선생님이 될 것이다. · 너[너희들]는 학교에 갈 거니? / is와 Are 뒤에 미래시제를 만드는 ② going to가 빈칸에 공통으로 오는 것이 알맞다.

05 will not의 줄임말은 won't로 쓴다.

06 be going to의 「주어+be동사+not+going to+동사원형」의 형태로 쓴다. He's는 He is의 줄임말이다.

07 will의 의문문은 「Will+주어+동사원형 ~?」의 형태로 쓴다.

09 '~에 없었다'라는 의미의 be동사 과거형의 부정문으로 쓴다. 주어가 복수 명사 My parents(→ They)이므로 were not의 줄임말 weren't로 쓴다.

10 '~했니?'라는 의미의 be동사 과거형의 의문문으로

쓴다. 의문문의 주어가 3인칭 단수 Amy(→ she)이므로 앞에 Was로 써야 한다.

11 일반동사 과거형의 부정문은 「didn't[did not]+동사원형」으로 쓴다.

12 ① 톰은 지난주에 그의 친구를 만났다. ② 제인은 공원에 가지 않았다. ③ 네 엄마는 나를 부르셨니? ④ 그들은 어젯밤에 바쁘지 않았다. ⑤ 나는 어제 아침을 먹었다. / ② didn't 뒤에는 동사원형 go가 와야 한다.

13 그녀는 중국어를 할 수 있다. / 조동사 can은 주어에 따라 모양이 바뀌지 않는다.

14 닉은 그의 개들을 데리고 와도 된다. / 조동사 may 뒤에는 항상 동사원형이 와야 한다.

15 너[너희들]는 밤에 노래를 부르면 안 된다. / not은 may 바로 뒤에 온다.

16 ① 톰은 빨리 달릴 수 있다. ② 나는 바다에서 수영할 수 있다. ③ 내 아빠는 파스타를 요리하실 수 있다. ④ 그는 내 연필을 사용해도 된다. ⑤ 제인은 영어책을 읽을 수 있다. / ④의 can은 '~해도 된다'라는 '허락'의 의미로 쓰였다. 나머지는 모두 '~할 수 있다'는 '능력, 가능'의 의미이다.

17 Q: 너는 이 TV를 고칠 수 있니? A: 아니, 그럴 수 없어. / ①, ⑤ 조동사 can의 의문문이므로 can을 이용하여 답해야 한다. ②, ③ 의문문의 주어가 you이므로 알맞은 대명사 I로 바꿔 답해야 한다.

18 ① 이것들은 얼마니? ② 그는 몇 학년이니? ③ 날씨는 어땠니? ④ 네 남동생[오빠, 형]은 키가 얼마나 크니? ⑤ 너는 얼마나 자주 수영을 하니? / ② '학년'을 물을 때는 의문사 What을 사용한다. 나머지 빈칸에는 모두 의문사 How가 알맞다.

19 ① 그것은 누구의 책이니? ② 그것은 누구의 바지니? ③ 네 이모[고모, 숙모]는 몇 살이시니? ④ 이것은 누구의 지갑이니? ⑤ 저것은 누구의 스웨터니? / ③ 나이를 물을 때는 의문사 How를 사용한다. 나머지는 빈칸 뒤에 명사가 있고, '누구의' 것인지 소유를 묻고 있으므로 의문사 Whose가 알맞다.

20 Q: 너는 연필이 몇 개 필요하니? A: 나는 세 개가 필요해.

24 이것은 정말 멋진 그림이구나! / What으로 시작하는 감탄문은 「What+a/an+형용사+명사(+주어+동사)!」의 순서로 써야 한다.

25 그 배낭은 정말 싸다. / How로 시작하는 감탄문은 「How+형용사/부사(+주어+동사)!」의 순서로 써야 한다.

26 커피를 _____. ① 마셔라 ② 마시자 ④ 마시지 마라 ⑤ 마시지 말자 / ③ 명령문에서 be동사와 일반동사는 같이 쓸 수 없다.

27 그는 정말 _____ 남자아이구나! ① 좋은 ② 행복하게 ③ 게으른 ④ 키가 큰 ⑤ 빠른 / 빈칸은 명사 boy를 꾸며주는 형용사 자리이다. ② happily는 부사이므로 빈칸에 들어갈 수 없다.

28 달은 밝게 빛난다. / The moon은 주어, shines는 동사에 해당한다. brightly는 부사로 문장의 기본 요소에 포함되지 않는다.

29 이 모자는 좋아 보인다. / This hat는 주어, looks는 감각동사, good는 보어(형용사)에 해당한다.

30 빌과 짐은 점심을 먹는다. / Bill and Jim은 주어, have는 동사, lunch는 목적어(명사)에 해당한다.

What's Grammar⁺Plus

2

WORKBOOK

정답과 해설

CHAPTER 1 현재진행형

01 주어가 3인칭 단수 Andrew(→ He)이므로 be동사는 is를 쓰고, 동사 go는 뒤에 ing를 붙인다.

02 주어가 3인칭 단수 My brother(→ He)이므로 be동사는 is를 쓰고, 동사 dance는 e를 빼고 ing를 붙인다.

04 주어가 3인칭 단수 The girl(→ She)이므로 be동사는 is를 쓰고, 동사 make는 e를 빼고 ing를 붙인다.

05 주어가 복수 명사 The students(→ They)이므로 be동사는 are를 쓰고, 동사 run은 마지막 자음 n을 한 번 더 쓰고 ing를 붙인다.

06 주어가 3인칭 단수 Sally(→ She)이므로 be동사는 is를 쓰고, 동사 have는 e를 빼고 ing를 붙인다.

07 주어가 복수 명사 The children(→ They)이므로 be동사는 are를 쓰고, 동사 swim은 마지막 자음 m을 한 번 더 쓰고 ing를 붙인다.

08 주어가 3인칭 단수 My aunt(→ She)이므로 be동사는 is를 쓰고, 동사 drive는 e를 빼고 ing를 붙인다.

09 주어가 복수 명사 David and Matt(→ They)이므로 be동사는 are를 쓰고, 동사 sit은 마지막 자음 t를 한 번 더 쓰고 ing를 붙인다.

→ 현재진행형의 부정문: 「be동사의 현재형+not+동사의 -ing형」

현재진행형의 의문문: 「be동사의 현재형+주어+동사의 -ing형 ~?」

GRAMMAR IN SENTENCES p.4

01 Luke isn't helping his mom.

02 They are[They're] fixing the car.

03 Are the students going home?

04 The boy is wearing a red cap.

05 Is Jack writing a letter?

06 My friends aren't[are not] singing.

07 Is the cat sleeping?

08 My father is carrying a suitcase.

09 The woman isn't[is not] baking a pie.

10 Are you cleaning your room?

CHAPTER 2 미래시제

UNIT 1   p.5

01 will not wear	02 Will Jenny do
03 will write	04 Will you be
05 will not answer	06 Will Ted take
07 will make	08 will not go
09 Will he clean	10 will buy

01, 05, 08 「will not+동사원형」의 순서로 쓴다.

02, 04, 06, 09 「Will+주어+동사원형 ~?」의 순서로 쓴다.

03, 07, 10 「will+동사원형」의 순서로 쓴다.

UNIT 2   p.6

01 isn't going to have

02 are going to go

03 Is, going to play

04 is going to arrive

05 isn't going to walk

06 Are, going to join

07 is going to visit

08 aren't going to read

09 Are, going to listen

10 are going to do

→ be going to의 부정문은 「주어+be동사+not going to+동사원형」으로 쓴다. 이때, is not은 isn't로, are not은 aren't로 줄여 쓸 수 있다.

→ be going to의 의문문은 주어와 be동사의 순서만 바꿔주면 된다.

01 Jeff(→ He)가 3인칭 단수 주어이므로 'be동사 +not'의 줄임말 isn't가 온다.

02 Susie and I(→ We)가 복수 명사 주어이므로 be동사는 are가 온다.

03 의문문의 주어가 Steve(→ he)이므로 앞에 Is가 온다.

04 The school bus(→ It)가 단수 명사 주어이므로 be동사는 is가 온다.

06 의문문의 주어가 Lucy and Tom(→ they)이므로 앞에 Are가 온다.

07 Tommy(→ He)가 3인칭 단수 주어이므로 be동사는 is가 온다.

08 Jessie and Ann(→ They)가 복수 명사 주어이므로 'be동사+not'의 줄임말 aren't가 온다.

GRAMMAR IN SENTENCES   p.7

01 It will not be cloudy next week.

02 Sally and I will play soccer.

03 We will[We'll] be busy tomorrow.

04 Dad is going to paint the wall next month.

05 Are you going to eat a hamburger?

06 I am[I'm] going to spend the vacation

07 Is she going to meet Sam?

08 They will not[won't] wash their cars.

09 Will the concert end at 8 o'clock?

10 Amy is not[isn't] going to buy cherries.

CHAPTER 3 과거시제

UNIT 1   p.8

01 Were	02 was	03 weren't
04 were	05 Is	06 wasn't
07 was	08 Was	09 was
10 wasn't	11 was	12 Are
13 isn't	14 Were	15 was

02 '~이었다'라는 의미의 be동사의 과거형으로 쓴다. 주어가 단수 명사 The movie(→ It)이므로 뒤에 was가 온다.

03 '~하지 않았다'라는 의미의 be동사 과거형의 부정문으로 쓴다. 주어가 복수 명사 Jane and I(→ We)이므로 뒤에 'be동사+not'의 줄임말 weren't가 온다.

05 '~하니?'라는 의미는 be동사 현재형의 의문문으로 쓴다. 의문문의 주어가 단수 명사 the boy(→ he)이므로 앞에 Is가 알맞다.

06 주어가 단수 명사 The store(→ It)이므로 뒤에 'be동사+not'의 줄임말 wasn't가 온다.

07 주어가 단수 명사 The coffee(→ It)이므로 뒤에 was가 온다.

08 '~에 있었니?'라는 의미의 be동사 과거형의 의문문으로 쓴다. 의문문의 주어가 3인칭 단수 Clara(→ she)이므로 앞에 Was가 온다.

10 주어가 3인칭 단수 It이므로 뒤에 'be동사+not'의 줄임말 wasn't가 온다. 여기서 It은 뜻이 없는 비인칭 주어이다.

11 주어가 단수 명사 My sister(→ She)이므로 뒤에 was가 온다.

13 '~에 있지 않다'라는 의미는 be동사 현재형의 부정문으로 쓴다. 주어가 단수 명사 My friend(→ He 또는 She)이므로 뒤에 'be동사+not'의 줄임말 isn't가 온다.

15 '~에 있었다'라는 의미의 be동사의 과거형으로 쓴다. 주어가 3인칭 단수 David(→ He)이므로 뒤에 was가 온다.

UNIT 2   p.9

01 drove	02 put	03 wanted
04 arrived	05 dropped	06 rode
07 read	08 went	09 ate
10 took	11 watched	12 woke up
13 lived	14 studied	15 visited
16 made		

01 내 아빠는 직장에 운전해서 가셨다.

02 매트는 책상 위에 그의 펜을 놓았다.

03 주디는 약간의 채소들을 원했다.

04 우리는 집에 늦게 도착했다.

05 메리는 그 접시를 떨어뜨렸다.

06 그녀는 어제 자전거를 탔다.

07 학생들은 교과서들을 읽었다.

08 그들은 어젯밤에 도서관에 갔다.

09 그 여자아이는 점심으로 피자를 먹었다.

10 그린 씨는 공원에서 산책을 했다.

11 그들은 야구 경기를 보았다.

12 나는 아침 7시에 일어났다.

13 내 가족은 작년에 캐나다에서 살았다.

14 샘은 방과 후에 수학을 공부했다.

15 웬디와 나는 우리 할머니를 방문했다.

16 내 사촌은 지난주에 사과 파이를 만들었다.

UNIT 3   p.10

01 didn't clean	02 Did
03 didn't cut	04 solve
05 drink	06 didn't sing
07 Did	08 did not[didn't]
09 didn't eat	10 see
11 didn't work	

01, 03, 05, 06, 09, 11 일반동사 과거형의 부정문은
「didn't[did not]+동사원형」으로 쓴다.

02, 07 일반동사 과거형의 의문문이므로 Does를 Did
로 고쳐 써야 한다.

04, 10 일반동사 과거형의 의문문에서 주어 뒤에는
항상 동사원형이 와야 한다.

08 not은 did 뒤에 와야 한다. 또는 didn't로 줄여 쓸
수도 있다.

GRAMMAR IN SENTENCES p.11

01 It wasn't my cellphone.
02 Kelly made dinner last weekend.
03 Were you busy last week?
04 Tom wasn't[was not] at the bookstore
  yesterday.
05 The boy didn't[did not] play soccer
06 She was my best friend.
07 Did you visit London last year?
08 The cat sat on the sofa.
09 They didn't[did not] come last night.
10 Was he at school an hour ago?

CHAPTER 4 조동사 can, may

UNIT 1 p.12

01 can't walk   02 can speak
03 Can you ride   04 can sit
05 can't[cannot] win 06 can borrow
07 Can, close
08 can't[cannot] sing
09 can't[cannot] go 10 Can I use
11 can help

→ '~할 수 있다' 또는 '~해도 된다'라는 의미는 동사원
형 앞에 can을 쓰고, '~할 수 없다' 또는 '~하면 안
된다'라는 의미는 동사원형 앞에 can't를 쓴다.

→ 조동사의 의문문은 주어와 조동사의 순서만 바꿔
주면 된다.

UNIT 2 p.13

01 may not   02 may use   03 May I
04 may   05 may not   06 open
07 may not   08 ask
09 May we come   10 may not
11 may not leave

→ '~해도 된다'라는 의미는 동사원형 앞에 may를 쓰
고, '~하면 안 된다'라는 의미는 「may not+동사원
형」으로 나타낸다.

01 I can't understand her.

02 You may play outside.

03 He can't[cannot] park here.

04 Can Danny play tennis?

05 She may not enter the building.

06 May we stay here?

07 They can't[cannot] pick the flowers.

08 You may bring your pet.

09 Can James run fast?

10 Jessy and Tom may not eat salty food.

CHAPTER 5 의문사

01 What is	02 Who are
03 When is	04 How is
05 Where are	06 What are
07 How was	08 Where are
09 Where were	10 When was
11 Who was	12 How are
13 Where is	14 What is
15 When is	

01 주어 your sister's name(→ it)은 단수 명사이므로 is를 앞에 쓴다.

02 주어 the men(→ they)은 복수 명사이므로 are를 앞에 쓴다.

03 주어 his birthday(→ it)는 단수 명사이므로 is를 앞에 쓴다.

04 주어 your uncle(→ he)는 단수 명사이므로 is를 앞에 쓴다.

05 주어 your friends(→ they)는 복수 명사이므로 are를 앞에 쓴다.

07 주어 the movie(→ it)는 단수 명사이며, '~ 어땠니?'는 과거의 일을 나타내므로 was를 앞에 쓴다.

08 주어 the gloves(→ they)는 복수 명사이므로 are를 앞에 쓴다.

09 주어 the kids(→ they)는 복수 명사이며, '~에 있었니?'는 과거의 일을 나타내므로 were를 앞에 쓴다.

10 주어 your summer vacation(→ it)은 단수 명사이며, '~였니?'는 과거의 일을 나타내므로 was를 앞에 쓴다.

11 주어 the girl(→ she)는 단수 명사이며, '~였니?'는 과거의 일을 나타내므로 was를 앞에 쓴다.

12 주어 the players(→ they)는 복수 명사이므로 are를 앞에 쓴다.

13 주어 the station(→ it)은 단수 명사이므로 is를 앞에 쓴다.

15 주어 the test(→ it)는 단수 명사이므로 is를 앞에 쓴다.

UNIT 2 p.16

01 What did, study
02 Where does, swim
03 When did, have
04 How does, go
05 What did, do
06 Where did, dance
07 How does, know
08 When does, start
09 How do, buy
10 Where do, meet
11 When does, come

01, 03, 05, 06 '~했니?'라는 뜻의 일반동사가 있는 의문문의 과거형이므로 주어 앞에 did를 쓴다.
02 '어디에'에 해당하는 의문사는 Where이며, 주어가 단수 명사 your brother(→ he)이므로 앞에 does를 쓴다.
08 '언제'에 해당하는 의문사는 When이며, 주어가 단수 명사 the concert(→ it)이므로 앞에 does를 쓴다.
11 주어가 3인칭 단수 Clara(→ she)이므로 앞에 does를 쓴다.

UNIT 3 p.17

01 What time was   02 How old is
03 How much, does   04 What day is
05 How much are   06 What grade is
07 How many, do   08 How often did
09 How tall is   10 Whose eraser, is

01 Q: 몇 시였니? A: 2시 반이었어.
02 Q: 네 사촌은 몇 살이니? A: 그녀는 9살이야.
03 Q: 그는 얼마나 많은 물을 원하니? A: 그는 물 한 병을 원해.
04 Q: 오늘은 무슨 요일이니? A: 수요일이야.
05 Q: 저 오렌지들은 얼마인가요? A: 그것들은 5달러입니다.
06 Q: 댄은 몇 학년이니? A: 그는 5학년이야.
07 Q: 너는 고양이 몇 마리를 가지고 있니? A: 나는 두 마리를 가지고 있어.
08 Q: 그녀는 얼마나 자주 게임을 했니? A: 그녀는 일주일에 한 번 했어.
09 Q: 케이트는 키가 얼마나 크니? A: 그녀는 140cm 야.
10 Q: 이것은 누구의 지우개니? A: 그것은 제니의 것이야.

GRAMMAR IN SENTENCES p.18

01 What did Ron do on Monday?
02 How many rabbits do you have?
03 When is[When's] Children's Day?
04 When does the class begin?
05 How tall is that tree?
06 Why was your dad angry?
07 How were the books?
08 How did your mom go to the hospital?
09 Where does Jessica live?
10 Whose jacket is that?

CHAPTER **6** 여러 가지 문장

UNIT 1   p.19

01 Let's take	02 don't drive
03 Help	04 Don't be
05 Let's be	06 Bring
07 Let's listen	08 Don't do
09 Let's not speak	10 Let's not be

01, 05, 07 '~하자'라는 제안의 의미는 「Let's+동사원형 ~」으로 나타낸다.

03, 06 '~해라'의 긍정 명령문은 주어를 생략하고 항상 '동사원형'으로 시작한다.

04, 08 '~하지 마라'의 부정 명령문은 「Don't[Do not]+ 동사원형 ~」으로 나타낸다.

09, 10 '~하지 말자'는 「Let's not+동사원형 ~」으로 나타낸다.

UNIT 2   p.20

01 How big
02 What a beautiful flower
03 How sad   04 How well
05 What a kind teacher
06 How smart   07 How delicious
08 What an expensive car
09 How lovely
10 What loud music

➡ How로 시작하는 감탄문: 「How+형용사/부사(+주어+동사)!」
What으로 시작하는 감탄문: 「What+(a/an)+형용사+명사(+주어+동사)!」

01 그 도시는 정말 크구나!
02 정말 아름다운 꽃이구나!
03 그 영화는 정말 슬프구나!

04 그 여자아이는 정말 춤을 잘 추는구나!
05 그녀는 정말 친절한 선생님이구나!
06 네 개는 정말 영리하구나!
07 그 케이크는 정말 맛있구나!
08 정말 비싼 자동차구나!
09 네 여동생은 정말 사랑스럽구나!
10 그것은 정말 시끄러운 음악이구나!

GRAMMAR IN SENTENCES   p.21

01 Don't close the door.
02 Let's move the table.
03 Open this box.
04 Let's not walk to school.
05 How tall you are!
06 What an interesting book it is!
07 How handsome Chris is!
08 What a sour orange this is!
09 How beautifully he sings!
10 What a long river it is!

CHAPTER **7** 문장 형식

01 ①	02 ②	03 ①	04 ②	05 ④
06 ③	07 ②	08 ④	09 ③	10 ③
11 ④	12 ②	13 ①	14 ①	15 ④
16 ④	17 ③	18 ②	19 ②	20 ③

01 브라운 씨는 영어를 가르친다.

02 매트는 그의 숙제를 한다.

03 그 학생이 문을 닫았다.

04 그는 공원에서 개를 산책시켰다.

05 수는 학생이다.

06 그의 여동생[누나]는 8시에 샌드위치를 먹었다.

07 그녀는 아름답게 웃는다.

08 진과 그녀의 아들은 과학자이다.

09 나는 어제 그녀를 방문했다.

10 그녀는 약간의 물을 마신다.

11 그들은 어젯밤에 피곤했다.

12 그 시장은 그 건물 옆에 있다.

13 마리아와 나는 수학을 공부한다.

14 이 실크는 부드럽다.

15 그것들은 꽃들이다.

16 복숭아들은 달다.

17 내 언니[누나, 여동생]는 신문을 읽는다.

18 다이애나는 미국에 산다.

19 그 아이는 아이스크림을 좋아한다.

20 그는 칫솔 두 개를 가지고 있다.

01 sleeps, ①	02 is, ②	03 runs, ①
04 it, ③	05 large, ②	06 goes, ①
07 her, ③	08 good, ②	09 is, ②
10 sneakers, ③		11 moves, ①
12 strange, ②		13 finished, ③
14 him, ③		15 happy, ②

01 그 아기는 잠을 잘 잔다. / 동사 has는 뒤에 목적어가 필요하므로 동사 sleeps가 알맞다. 부사 well은 문장의 기본 요소에 포함되지 않는다.

02 그녀는 비행기 조종사이다. / 주어 She가 누구인지 나타내는 '~이다'라는 뜻의 be동사 is가 알맞다.

03 호랑이는 빨리 달린다. / 주어 The tiger의 동작을 나타내는 일반동사 runs가 알맞다.

04 내 아빠는 그것을 읽으신다. / 동사 reads는 뒤에 목적어가 필요하므로 목적격 it(그것을)이 알맞다.

05 그 방은 넓다. / is 뒤에서 주어 The room의 상태를 설명하는 형용사 large가 알맞다.

06 내 여동생[누나, 언니]은 학교에 간다.

07 나는 그녀를 안다. / 동사 know 뒤에는 목적어가 필요하므로 목적격 her(그녀를)가 알맞다.

08 이 꽃은 좋은 냄새가 나. / 감각동사 smells 뒤에는 형용사 보어가 와야 하므로 good이 알맞다.

09 그 영화는 길다.

10 메리는 운동화들을 가지고 있다. / 동사 has는 뒤에 목적어가 필요하므로 명사(목적어) sneakers가 알맞다.

11 그것은 매우 빨리 움직인다.

12 그 음악은 이상하게 들린다. / 감각동사 sounds 뒤에는 형용사 보어가 와야 하므로 strange가 알맞다.

13 톰은 일을 마쳤다.

14 줄리아는 그를 돕는다.

15 그 아이들은 행복해 보인다. / 감각동사 look 뒤에

는 형용사 보어가 와야 하므로 happy가 알맞다.

GRAMMAR IN SENTENCES p.24

01 These pants are new.

02 John jumps very high.

03 We had grapes

04 His boat looks nice.

05 We talk quietly.

06 The bear is angry.

07 Jerry and Ted sat on the bench.

08 My sister and I play tennis.

09 Mr. Smith teaches us.

10 This soup tastes delicious.

부가자료 다운로드
www.cedubook.com

LISTENING Q

중학영어듣기 **모의고사 시리즈**

❶ 최신 기출을 분석한 유형별 공략

· 최근 출제되는 모든 유형별 문제 풀이 방법 제시
· 오답 함정과 정답 근거를 통해 문제 분석
· 꼭 알아두어야 할 주요 어휘와 표현 정리

❷ 실전모의고사로 문제 풀이 감각 익히기

실전 모의고사 20회로 듣기 기본기를 다지고,
고난도 모의고사 4회로 최종 실력 점검까지!

❸ 매 회 제공되는 받아쓰기 훈련(딕테이션)

· 문제풀이에 중요한 단서가 되는
  핵심 어휘와 표현을 받아 적으면서 듣기 훈련!
· 듣기 발음 중 헷갈리는 발음에 대한 '리스닝 팁' 제공
· 교육부에서 지정한 '의사소통 기능 표현' 정리

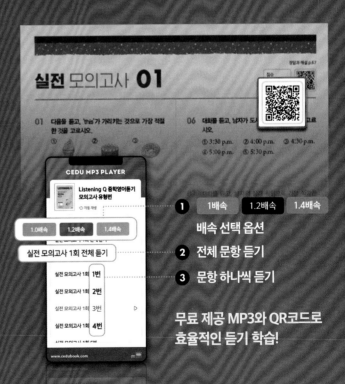

❶ 1배속 1.2배속 1.4배속
배속 선택 옵션

❷ 전체 문항 듣기

❸ 문항 하나씩 듣기

**무료 제공 MP3와 QR코드로
효율적인 듣기 학습!**

쎄듀

쎄듀 초·중등 커리큘럼

	예비초	초1	초2	초3	초4	초5	초6
구문		천일문 365 일력 | 초1-3		초등코치 천일문 SENTENCE			
		교육부 지정 초등 필수 영어 문장		1001개 통문장 암기로 완성하는 초등 영어의 기초			
문법				초등코치 천일문 GRAMMAR			
				1001개 예문으로 배우는 초등 영문법			
			왓츠 Grammar		Start (초등 기초 영문법) / Plus (초등 영문법 마무리)		
독해				왓츠 리딩 70 / 80 / 90 / 100 A / B			
				쉽고 재미있게 완성되는 영어 독해력			
어휘				초등코치 천일문 VOCA&STORY			
				1001개의 초등 필수 어휘와 짧은 스토리			
		패턴으로 말하는 초등 필수 영단어 1 / 2		문장 패턴으로 완성하는 초등 필수 영단어			
ELT	Oh! My PHONICS 1 / 2 / 3 / 4		유·초등학생을 위한 첫 영어 파닉스				
		Oh! My SPEAKING 1 / 2 / 3 / 4 / 5 / 6					
		핵심 문장 패턴으로 더욱 쉬운 영어 말하기					
		Oh! My GRAMMAR 1 / 2 / 3		쓰기로 완성하는 첫 초등 영문법			

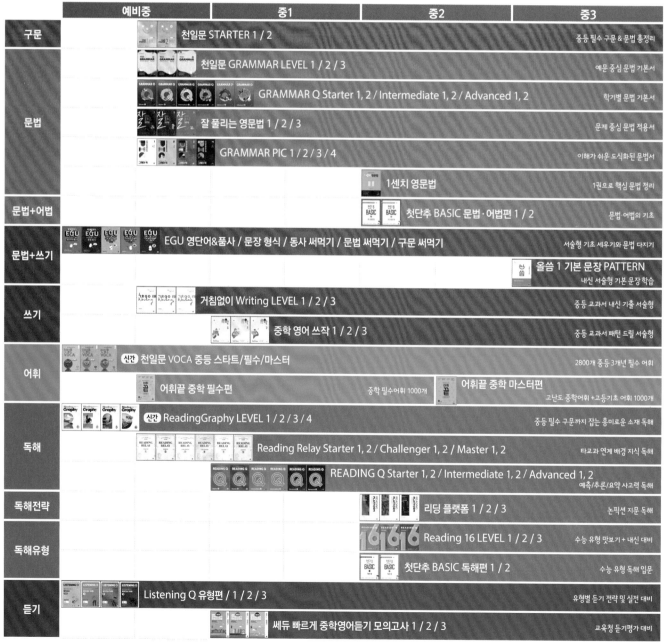

	예비중	중1	중2	중3
구문		천일문 STARTER 1 / 2		중등 필수 구문 & 문법 총정리
문법		천일문 GRAMMAR LEVEL 1 / 2 / 3		예문 중심 문법 기본서
		GRAMMAR Q Starter 1, 2 / Intermediate 1, 2 / Advanced 1, 2		학기별 문법 기본서
		잘 풀리는 영문법 1 / 2 / 3		문제 중심 문법 적용서
		GRAMMAR PIC 1 / 2 / 3 / 4		이해가 쉬운 도식화된 문법서
			1센치 영문법	1권으로 핵심 문법 정리
문법+어법			첫단추 BASIC 문법·어법편 1 / 2	문법·어법의 기초
문법+쓰기	EGU 영단어&품사 / 문장 형식 / 동사 써먹기 / 문법 써먹기 / 구문 써먹기			서술형 기초 세우기와 문법 다지기
				올쏨 1 기본 문장 PATTERN
				내신 서술형 기본 문장 학습
쓰기		거침없이 Writing LEVEL 1 / 2 / 3		중등 교과서 내신 기출 서술형
		중학 영어 쓰작 1 / 2 / 3		중등 교과서 패턴 드릴 서술형
어휘	신간 천일문 VOCA 중등 스타트/필수/마스터			2800개 중등 3개년 필수 어휘
	어휘끝 중학 필수편		중학 필수어휘 1000개	어휘끝 중학 마스터편
				고난도 중학어휘 +고등기초 어휘 1000개
독해	신간 ReadingGraphy LEVEL 1 / 2 / 3 / 4			중등 필수 구문까지 잡는 흥미로운 소재 독해
		Reading Relay Starter 1, 2 / Challenger 1, 2 / Master 1, 2		타교과 연계 배경 지식 독해
		READING Q Starter 1, 2 / Intermediate 1, 2 / Advanced 1, 2		예측/추론/요약 사고력 독해
독해전략			리딩 플랫폼 1 / 2 / 3	논픽션 지문 독해
독해유형			Reading 16 LEVEL 1 / 2 / 3	수능 유형 맛보기 + 내신 대비
			첫단추 BASIC 독해편 1 / 2	수능 유형 독해 입문
듣기	Listening Q 유형편 / 1 / 2 / 3			유형별 듣기 전략 및 실전 대비
		쎄듀 빠르게 중학영어듣기 모의고사 1 / 2 / 3		교육청 듣기평가 대비